D1290516

Écrivain marocain de langue française, Tahar Ben Jelloun est né à Fès en 1944. Il a publié de nombreux romans, recueils de poèmes et essais. Il a obtenu le prix Goncourt en 1987 pour *La Nuit sacrée*.

Tahar Ben Jelloun
DE L'ACADÉMIE GONCOURT

MES CONTES DE PERRAULT

Éditions du Seuil

L'un des dix contes réunis dans ce recueil,
La Belle au bois dormant, a été publié, dans une première version,
aux Éditions du Seuil en 2004.

TEXTE INTÉGRAL

ISBN 978-2-7578-5586-7
(ISBN 978-2-02-116226-4, 1re publication)

Avant-propos

Hommage à Charles Perrault

Mes parents avaient recueilli à la maison une vieille femme du nom de Fadela, qui prétendait être la demi-sœur de ma grand-mère paternelle. Elle mentait avec un tel aplomb qu'elle faisait rire mon père, qui comprit bien vite qu'elle avait été abandonnée par son mari et ses enfants pour des raisons obscures qu'il ne chercherait pas trop à éclaircir.

Fadela s'installa donc chez nous. Elle nous racontait volontiers des histoires. Mon frère et moi l'aimions beaucoup parce qu'elle savait nous faire voyager au rythme de récits extravagants où le Bien combattait toujours le Mal, où les méchants étaient toujours cruels, où les djinns étaient dotés de tous les pouvoirs. Elle fermait alors les yeux et parlait comme si elle avait lu au fond de son âme. Elle était impressionnante à voir et à entendre, et nous étions à chaque fois ravis. Quand elle sentait que nous commencions à prendre peur, elle s'arrêtait net et nous disait : « Ce ne sont que des contes, des légendes, rien de tout cela n'est vrai, n'ayez pas peur… »

Tout ce que je sais des *Mille et Une Nuits*, je l'ai appris grâce à elle. Plus tard, quand je lirai cette œuvre fondamentale, je me rendrai compte qu'elle la connaissait parfaitement sans l'avoir lue, mais qu'elle faisait l'impasse sur les passages les plus scabreux. Bref, elle nous ménageait, même si elle devinait sans doute que nous aurions été plus qu'intéressés par le récit des orgies sexuelles des princes et des démones…

Quand mon père me fit inscrire à l'école franco-marocaine des fils des notables de Fès, il me dit : « Finies les histoires à dormir debout de ta vieille tante ! Maintenant, c'est du sérieux ! »

Notre institutrice, Mlle Pujarinet, se plaisait, une fois par semaine, à nous lire des histoires tirées d'un livre illustré par Gustave Doré et intitulé *Les Contes de Perrault*. Elle écrivait toujours au tableau les noms de l'auteur et de l'illustrateur du volume. Et notre institutrice de nous ouvrir à l'univers des fées, des princes, des animaux doués de capacités surnaturelles, de bottes magiques et autres merveilles. Elle était certes moins convaincante que Fadela, moins talentueuse qu'elle aussi. Cependant, je ne pouvais m'empêcher d'établir des liens entre les *Mille et Une Nuits* et ces contes lus dans un contexte scolaire.

J'ai imaginé plus tard les contes de Perrault racontés par Fadela. Elle les aurait transformés, pliés à sa fantaisie, leur donnant la couleur de ses moments de solitude, de la misère qu'elle avait connue avant d'arriver chez nous. Peut-être les aurait-elle mélangés aussi à ceux venus d'un Orient improbable où les djinns et les hommes assoiffés de pouvoir mènent le monde à sa perte ?

Cette envie de m'approprier à ma façon certains contes de Charles Perrault remonte sans doute à toute cette histoire, demeurée intacte dans ma mémoire. En les relisant, je n'ai pu m'empêcher de penser à ma vieille tante mythomane, si sympathique, si pathétique et tellement humaine. Elle avait une imagination exceptionnelle. Et si elle avait su lire et écrire, peut-être aurait-elle composé une œuvre magnifique. Je me suis dit, par exemple : « Comment raconterait-elle *Peau d'Âne* ? Oserait-elle tout dire sur *Barbe-Bleue* ? Quelle morale en aurait-elle tirée ? »

Bref, je me suis glissé dans son cerveau et j'ai pris la liberté d'orientaliser ces contes, c'est-à-dire d'y mêler des épices et des couleurs issues d'autres pays, d'autres imaginaires. Et si j'ai choisi de les situer dans des pays arabes et musulmans, c'est aussi parce qu'il est temps de dire ces pays autrement que sous le signe du drame et de la tragédie, autrement que dans un contexte de fanatisme, de terrorisme et d'amalgame. Ce qui n'exclut pas, bien entendu, la critique de la société et la mise à l'index de ses incohérences et de ses hypocrisies.

J'ai conservé la structure du conte original et me suis éloigné du texte. C'est cela qui m'a passionné : donner à un squelette une chair et un esprit venus d'une autre temporalité, un autre monde situé en une époque indéterminée mais qui nous concerne aujourd'hui d'une façon ou d'une autre. Le visage ridé et les petits yeux enfoncés de Fadela planaient au-dessus de moi tandis que j'écrivais. Non seulement elle sortait alors de sa nuit noire, mais j'entendais sa voix qui me dictait ce que je devais écrire. On aurait dit une fée qui échappait enfin à l'ennui auquel le destin semblait l'avoir condamnée. Grâce à Charles Perrault, elle revivait, en quelque sorte.

Comme on sait, la fortune de ces contes a traversé les frontières. Elle appartient à l'imaginaire de tous et de chacun dans le monde. Or, ce rayonnement universel ne s'explique pas par le contenu des histoires elles-mêmes, mais bien plutôt par le génie littéraire de Perrault, qui prétendait répondre à sa façon au défi lancé par La Fontaine et par ses fables aux écrivains de son époque. Et c'est parce que ces contes constituent une œuvre littéraire d'une richesse inestimable qu'ils ont traversé les siècles et les continents.

Composés pour la plupart à partir de 1691, ces contes n'ont pas pris une ride. Qu'ils soient écrits en vers ou en prose, ils continuent de nous enchanter et de nous surprendre. Mais si j'ai eu l'idée de me les approprier, c'est aussi parce que leur parenté avec *Les Mille et Une Nuits* est non seulement évidente (la traduction d'Antoine Galland paraît en 1704), mais constitue pour un écrivain d'aujourd'hui un défi à prendre le large en toute liberté, avec plaisir et dans l'exigence.

Charles Perrault, en bon académicien et bon chrétien qu'il était, n'a jamais perdu de vue la nécessité d'« amuser le monde comme un enfant » et de donner « du plaisir à lire ». Il répondait en quelque sorte à ces lignes de La Fontaine :

Si Peau d'Âne m'était conté,
J'y prendrais un plaisir extrême.
Le monde est vieux, dit-on, je le crois ; cependant
Il le faut amuser encor comme un enfant.
(*Fables*, VIII, 4)

Je n'ai pas cherché à tirer de chaque conte une moralité. Notre époque ne s'y prête guère, et l'effet menaçait d'être contre-productif. Je m'en suis donc tenu à un simple constat, qui trace un fil de Socrate à Cioran en passant par Spinoza : l'être humain persévère dans son être, et rien jamais ne le changera, ni dans son extrême brutalité ni dans son infinie bonté.

Charles Perrault comptait sur le « sommeil de la raison » pour faire apprécier ses histoires d'ogres et de fées. Ces contes, destinés autant aux petits qu'à leurs parents, nous invitent à ne pas poser trop de questions. Nous savons pourtant que notre époque ne manque ni d'ogres ni d'ogresses aux figures inattendues ; tous ces prédateurs, ces monstres d'égoïsme, ces cyniques qui dominent le monde et meurent de vieillesse dans leur lit.

Finalement, l'unique morale de l'histoire, c'est qu'il faut, partout et en toute circonstance, garder sa lucidité et sa vigilance bien en éveil. De tout temps, l'homme s'est conduit non comme un quelconque animal de proie envers son prochain, mais plus simplement, fidèle à lui-même, comme « un homme pour l'homme ». Les ravages n'en sont que plus terribles.

Tout compte fait, avoir pu réécrire ces contes avec une si grande liberté donne la mesure de la dette que j'ai contractée envers celui qui les a inventés et en a fixé la forme canonique.

TBJ
Janvier 2014

1

La Belle au bois dormant

Il était une fois un roi et une reine tristes et malheureux. Ils n'arrivaient pas à avoir d'enfant. Ils avaient tout essayé, suivant les conseils de plusieurs médecins, de sages-femmes et même de quelques sorciers. Un confident était allé jusqu'à proposer au roi d'adopter un régime alimentaire très spécial, et surtout de manger à heures fixes en tenant la main de la reine. En vain. Un jour, le roi et son épouse se rendirent donc à la montagne de l'Enfance, où ils séjournèrent sept jours et sept nuits, buvant l'eau saumâtre et tiède de la Source de Vie. Ils avaient souvent la nausée et vomissaient leurs repas sans protester. De retour au palais, ils firent leurs prières avant de gagner la chambre de l'amour.

Quelque temps plus tard, face à un nouvel échec, le fameux Hamza, vizir très âgé, père de seize garçons et d'une fille, leur révéla que le secret de la fertilité était dans le silence et la méditation. Le roi, malgré la méfiance que lui inspirait Hamza, accepta d'observer une semaine de silence. Lui et son épouse se retirèrent dans leurs appartements et ne prononcèrent plus un mot. Ils communiquaient par signes et parfois pouffaient de rire comme des enfants punis. Le temps passait, mais rien ne venait…

Ils se remirent à consulter des médecins d'Orient et d'Occident, certains sérieux, d'autres des charlatans, des sages-femmes obèses, des voyants aveugles, des gitanes de passage, des bergers gardiens de marabouts, des mendiants professionnels, des fées officielles et d'autres clandestines. Ils mangèrent des œufs de serpent, des yeux de brebis, des boyaux de chien et finirent par avaler un grand plat de couscous dont la semoule avait été roulée par la main d'un mort connu pour sa générosité et sa bonté.

Un jour, c'était un vendredi, juste au moment de la prière de midi, la reine poussa un cri de joie qui ameuta toute la population du palais. Un cri ou un hurlement, un chant ou un appel à Dieu et à ses prophètes. Elle apparut, les mains levées au ciel, remerciant les nuages et les montagnes, le roi et surtout Wallada, une fée aux yeux en amande et au visage si doux qui faisait chanter les oiseaux de la ville. Cette fée échappait au temps ; elle avait toujours un corps de vingt ans et l'expérience d'une femme de cent ans. Wallada avait passé ses mains sur le ventre de la reine et avait récité les mille et un vers du poème de la fertilité écrit par un anonyme au siècle de la grandeur de l'empire. La reine, quant à elle, répétait les mots de Wallada, vers après vers. Au vers 999, elle avait senti quelque chose bouger dans son ventre, eu des palpitations, des vapeurs puis des nausées. Elle avait bien failli s'évanouir. Il n'y avait plus de doute. Elle était enceinte. Elle le savait, elle le sentait. Wallada avait essuyé la sueur qui perlait sur son front et était repartie dans son antre en l'assurant de sa bénédiction.

Le roi attendit quelques semaines pour fêter l'événement. Il convoqua des gens de religion qui se relayaient pour dire des prières afin que la grossesse se passât dans les meilleures conditions. Le palais ne vivait que dans l'attente et l'espérance. On faisait brûler les encens d'Inde et d'Arabie, on convoquait les troubadours pour chanter et danser autour d'un livre intitulé *L'Extrême Beauté du ventre fertile*. Ainsi naquit la princesse tant espérée. Le roi la nomma Jawhara car elle était aussi belle qu'une perle rare. Alors que la sécheresse sévissait depuis de longs mois, la pluie se mit soudain à tomber dans les campagnes, comblant les paysans de bonheur.

Tout le pays était en fête. Les gens se congratulaient, ceux qui étaient fâchés se réconcilièrent, ceux qui étaient malheureux retrouvèrent le sourire. Les personnes qui avaient été consultées par le roi furent invitées le septième jour après la naissance, jour du baptême, et assistèrent au sacrifice du mouton égorgé par le roi lui-même. La princesse fut nommée selon le rite et la tradition des ancêtres. Parmi les invités, il y avait Wallada et six autres fées habillées de soie aux couleurs chatoyantes, et parfumées de musc rare. Chacune d'entre elles reçut un étui d'or massif contenant une cuiller, une fourchette et un couteau en or sertis de diamants et de rubis, ainsi qu'une lettre royale de remerciements accompagnée d'un billet de bateau pour se rendre en pèlerinage à La Mecque.

Éblouies par ces cadeaux si précieux, les sept fées se mirent à chanter et à danser avec élégance et grâce, comme suspendues dans l'espace par des fils invisibles. Elles improvisèrent un ballet. Les lumières scintillaient et les chants mélodieux emplirent le roi et la reine de bonheur et de joie.

Alors que les sept fées reprenaient leur place autour de la table, apparut Kandisha, la méchante fée, la plus laide, la plus haineuse et la plus cruelle du pays. Elle était connue pour la puissance de son mauvais œil ; un seul regard suffisait à briser un ménage, provoquer des catastrophes, créer des perturbations du climat, répandre des épidémies, troubler le sommeil des enfants, transformer le lait en eau saumâtre, mettre en faillite un commerçant, affamer toute une famille. Quand elle sortait de sa tanière, les oiseaux s'arrêtaient de chanter, les fleurs se fanaient, les papillons devenaient poussière, les femmes se cachaient et les enfants pleuraient.

Kandisha n'avait pas d'âge. Elle était dans toutes les mémoires. Certains disaient qu'elle avait cent cinquante-deux ans, d'autres affirmaient qu'elle avait un nombre d'années que le calcul humain ne pouvait pas imaginer. Vieille, certes, elle l'était, mais avec un corps solide et énergique, qui dégageait une puanteur insupportable. Son odeur la précédait de loin. Elle annonçait ainsi son arrivée, semant une terrible panique.

Le roi la croyait morte et enterrée, la mauvaise fée n'étant pas apparue depuis bien longtemps. Il arrivait en effet à Kandisha de dormir une dizaine d'années et de se réveiller comme si elle avait fait une petite sieste « pour reposer mes os », comme elle disait.

Ce jour-là, dès qu'elle s'approcha du palais, Jawhara se mit à pleurer à chaudes larmes en devenant toute rouge. Il était impossible de la calmer. La petite princesse devait avoir des douleurs atroces au ventre pour pleurer autant. Le malheur venait de faire son entrée dans ce lieu de fête rempli de joie. On brûla encore plus d'encens pour masquer les effluves pestilentiels dégagés par la mauvaise fée.

Kandisha s'adressa directement au roi, lui jetant un de ses fameux regards chargés de maléfices :

« Tu as cru que j'étais morte et tu n'as pas fait appel à moi pour résoudre ton petit problème de descendance ! Tu as eu tort. Je t'avais prévenu dans un rêve, celui de la nuit de pleine lune où tu as dormi par terre parce que tu avais mal à la tête. Je t'ai dit : "Viens chez Kandisha, elle a ce qu'il faut pour que ta reine te donne ce que tu désires, viens et apporte-moi la cervelle de la hyène noire, celle que tu as tuée lors de la chasse de l'hiver dernier." Tu as cru que c'était un cauchemar, un de ces mauvais rêves que font les rois parce qu'ils se considèrent supérieurs à nous autres, pauvres êtres du commun. »

Tandis qu'elle parlait, le roi était pétrifié. C'est alors qu'il perdit la loupe suspendue autour de son cou qu'il utilisait pour lire. En tombant, celle-ci se brisa en mille morceaux. Une loupe qui se casse, c'est un mauvais, un très mauvais présage.

Kandisha poursuivit :

« Tu as aggravé ton cas en faisant des cadeaux à tes petites fées des villes, des fées de pacotille, des fées sans réel pouvoir, des poupées tout juste bonnes à jouer avec des enfants. Et tu m'as oubliée. Ta générosité a été mesquine. Tu as ignoré la fée la plus importante, celle dont le pouvoir fait trembler le pays entier. Moi aussi, j'ai droit à toutes ces attentions, droit à l'étui en or massif, à ces rubis et à ces diamants. »

Le roi balbutia :

« Je suis désolé, je n'y ai pas pensé. De toute façon, je ne peux plus rien faire pour toi. Le joaillier qui a fabriqué ces étuis est mort hier en tombant de cheval.

– Je sais, c'est ma haine qui lui a rendu visite au moment où il se croyait tout-puissant ! C'est moi qui lui ai envoyé quelques effluves de mon fétide parfum en vue de l'étourdir et de provoquer sa chute fatale. Un accident malheureux… »

À ces mots, une des jeunes fées se cacha derrière un rideau. Au même moment, à la fois pour détourner l'attention de l'assistance et pour conjurer le terrible sort que Kandisha s'apprêtait à lancer, les autres fées se mirent à prédire de belles choses à Jawhara. L'une dit : « Tu seras toujours belle et lumineuse » ; la deuxième : « Tu es un trésor d'intelligence et de sensibilité et tu seras toujours aimée et adorée » ; la troisième : « Jamais la maladie n'entrera dans ta vie, ta santé est ton bien le plus précieux » ; la quatrième : « Tu seras légère dans le cœur de tes parents, jamais tu ne leur feras de peine » ; la cinquième : « Tu es la grâce même et tu feras tout ce que la beauté et la bonté te diront d'entreprendre ; ainsi tu pourras danser comme une étoile, chanter comme un rossignol du paradis, faire venir la pluie sur la terre sèche, remplir les jarres des pauvres de tout ce dont ils ont besoin ; tu es hors d'atteinte, protégée du mauvais œil et des pensées malfaisantes » ; la sixième fée s'adressa à Kandisha : « Tant que nous sommes ici, tu ne pourras pas faire de mal à notre princesse. Nous sommes son bouclier, ses servantes, sa garde rapprochée. Tu ne peux rien contre nous, va-t'en, retourne dans ta tanière, va mordre la poussière de la haine, le poison qui te nourrit ! »

Kandisha s'ébroua ; des puces, des punaises et des poux tombèrent de ses vieux habits. Elle se tourna vers les fées et prononça sa sentence :

« Un objet tranchant, un simple objet – je ne sais pas encore lequel, mais ce sera terrible –, un objet tranchant, donc, entaillera la main droite de la princesse et elle en mourra, voilà ce que je vois, voilà ce que j'entends, des cris, des larmes, et la mort sur un âne centenaire viendra emporter la petite princesse... »

C'est alors que la septième fée sortit de derrière le rideau et s'exclama :

« Rassurez-vous, ô mon roi, ô ma reine, ne soyez pas inquiets : votre fille, notre princesse bien-aimée, ne mourra pas. Je n'ai pas le moyen de déjouer le mauvais sort lancé par la vieille. Ni moi ni mes sœurs n'avons un pouvoir et une puissance comparables aux siens qui permettraient d'annuler ce qu'elle a prévu ; mais nous avons la possibilité d'éviter la mort à notre belle Jawhara ; il est vrai qu'un objet tranchant blessera sa main droite, mais elle n'en mourra pas, je vous le garantis, elle tombera dans un profond, très profond sommeil qui durera cent ans...

– Cent ans ! Mon Dieu ! Cent ans ! s'écria la reine.

– Rassurez-vous, ayez confiance en notre bonté, poursuivit la septième fée, elle se réveillera. Mais pas toute seule. Elle sera réveillée par un prince, le fils d'un roi, beau comme un soleil, et une nouvelle vie commencera. »

Ivre de douleur et de chagrin, le roi se leva, suivi par la reine. Ils se retirèrent dans leurs appartements. Les médecins du palais accoururent à leur chevet alors que Kandisha urinait debout sur les fleurs disposées autour de la table. Elle disparut bientôt dans un nuage de fumée tandis que les fées entouraient la princesse pour la protéger.

Le roi fit rassembler tous les objets tranchants du palais, interdit au personnel de cuisine de se servir de couteaux, éloigna des appartements de la princesse les couturières et tous les artisans utilisant des instruments susceptibles de transpercer la main de Jawhara.

Les années passèrent.

La princesse avait à présent seize ans et jouait encore à cache-cache avec sa cousine. Ce jour-là, elle avait trouvé refuge dans le grenier le plus haut du château, là où vivait Mandouba, une vieille esclave noire au visage marqué de stries, des cicatrices verticales dues aux blessures que ses anciens maîtres lui avaient infligées avant qu'elle fût recueillie par le roi. Elle avait décidé de ne jamais quitter ce lieu. C'était certainement par pitié que l'aide de camp du roi l'avait installée là et lui faisait porter tout ce dont elle avait besoin. Jawhara avait eu vent de sa présence, mais c'était la première fois qu'elle la voyait.

« Que fais-tu là, vieille dame ?

– Je raconte ma vie.

– Mais à qui la racontes-tu ? Il n'y a personne ici…

– À toi, à tes enfants et à tes petits-enfants… à tous ceux qui viendront après toi et voudront savoir quelle fut la vie de Mandouba.

– Que fais-tu, seule toute la journée ?

– Ton père a eu la bonté de faire installer dans ce grenier ce métier à tisser. Cela fait longtemps que je tisse des tapis, chacun d'eux raconte une étape de ma vie passée. Ils sont tous disposés derrière moi. J'ai de la laine et tout ce qu'il me faut, alors je tisse et tisse encore ; un jour, peut-être, le roi montera jusqu'ici et je lui donnerai les tapis. »

Jawhara fut éblouie par celui que Mandouba était en train de terminer. Il représentait une colombe noire qui ne pouvait sortir d'une cage rouge à cause d'une immense toile d'araignée.

« Que c'est beau ! s'extasia la jeune fille. Peux-tu me dire ce que cela représente ?

– C'est la liberté !

– J'aimerais bien qu'il y ait un peu de vert, c'est la couleur de l'espoir, n'est-ce pas ?

– Veux-tu le tisser toi-même ?

– Oh oui !

– Tiens ce fuseau, mais fais très attention, son extrémité est tranchante, il peut faire mal. »

Jawhara était ravie de participer à ce tissage. Elle prit le fuseau, le fit passer de droite à gauche du métier, mais au moment de le récupérer pour recommencer la même opération, elle s'en perça la main ; sans crier ni pleurer, la princesse tomba évanouie.

Mandouba essaya de la ranimer. Elle posa son oreille sur le cœur de la jeune fille : celle-ci n'était pas morte, elle était plongée dans un sommeil profond. La vieille esclave appela au secours. Elle pleurait et se donnait des gifles. On vint de partout. On coupa un oignon en deux que l'on mit sous les narines de Jawhara. On versa un seau d'eau froide sur son visage. Pas de réaction. Le sang s'était coagulé dans la paume de sa main droite. On l'aspergea de la substance pure du parfum d'Arabie. La vieille faillit s'évanouir. Le médecin du roi accourut en priant Dieu de l'aider dans sa tâche. Il avait l'intuition que c'était une mauvaise affaire. Il l'ausculta longuement. Le roi apparut à cet instant. Il mit la main sur le front de sa fille puis déclara :

« Elle dort, tout simplement. Les fées l'avaient prévu. »

Le médecin acquiesça.

« Son cœur bat au ralenti ; elle vit, mais son sommeil est très profond. A-t-elle mangé une de ces plantes soporifiques ?

– Non, dit le roi, il s'agit là de la vengeance d'une mauvaise fée : un sommeil long, long… interminable. Je veux que ma fille repose dans le plus bel appartement du palais, la chambre bleue, où elle sera bercée par le bruit des vagues et le chant des mouettes, la chambre qui donne sur le jardin de toutes les fleurs ; son lit à baldaquin sera recouvert de broderies d'or et d'argent ; elle y dormira en paix jusqu'au jour de son réveil. »

Puis il essuya une larme et disparut.

La princesse fut donc installée dans cette chambre belle et apaisante. Son visage était celui d'un ange, ses joues et ses lèvres avaient la couleur du corail. Son évanouissement n'avait pas froissé son front ni ses paupières. Il n'avait laissé aucune trace désagréable sur ce si beau visage. Les yeux fermés, ses longs cils bougeant à peine, elle respirait lentement. Elle était vivante mais endormie. Le roi ordonna qu'on la laissât en paix.

La septième fée, qui avait prédit ce long sommeil, n'était pas au palais. On se souvint de son intervention : elle avait réussi à sauver la vie de Jawhara en la condamnant à dormir cent ans. Le roi voulut donc avertir la jeune fée de ce qui venait de se passer. Hélas, elle était à douze mille lieues de là. Il donna l'ordre qu'on lui envoie un message par l'intermédiaire d'un pigeon voyageur. Mais avant même que le volatile fût prêt à partir, Stitou le nain, qui avait des bottes de sept lieues, avait déjà enjambé les mers et les montagnes et glissé dans l'oreille de la jeune fée : « La princesse s'est endormie pour cent ans ! Rends-toi vite au palais. Elle repose dans la chambre bleue. »

Le seul moyen d'abolir les distances était de s'adresser aux six dragons gardiens du volcan éteint. Eux seuls étaient capables de la transporter en un temps record. Ils furent ravis de rendre service à la jeune fée, qui monta dans un chariot et fit son entrée au palais une heure plus tard. Les dragons repartirent presque aussitôt car ils craignaient que le feu du volcan se réveillât en leur absence.

Le roi accueillit la fée et l'aida à reprendre ses esprits : le voyage avait été si rapide qu'elle avait été prise de vertiges. Après avoir bu un verre d'eau et humé le parfum du jardin de toutes les fleurs, elle dit au roi qu'il avait bien fait d'installer la princesse dans la chambre bleue et songea qu'il fallait à présent préparer le réveil de Jawhara. En effet, le jour où la princesse sortirait de son long sommeil, il ne faudrait pas qu'elle se retrouve toute seule dans ce grand château, puisque ni ses parents ni aucun habitant du palais ne seraient là pour assister à son réveil. Mais la fée n'osa pas être aussi directe.

Elle dit :

« Que Dieu vous prête vie et qu'il vous donne des ans en plus, à vous et à la reine, des ans exceptionnels qui vous permettront de revoir votre fille telle qu'elle est actuellement, jeune et belle. »

Le roi, sage et serein, répondit :

« Ô jeune fée ! Vous êtes bien aimable, mais votre pouvoir a beau être bienfaisant, il ne sera pas en mesure d'accomplir un tel miracle ; je sais que l'homme est mortel et qu'il n'y a rien à faire contre cette évidence ; je ne serai pas là dans cent ans ! Merci pour vos belles paroles. Que comptez-vous faire à présent ?

– Je vais endormir tout votre entourage, tout le personnel du château. Je ne toucherai ni à vous ni à la reine.

– Faites, faites, notre vie a été ruinée par cet incident ; elle n'a plus d'importance. Nous allons désormais nous préoccuper de notre peuple, lui donner les moyens de vivre mieux. Faire le bien, c'est-à-dire exercer notre devoir de roi en pensant aux autres et pas uniquement à soi, c'est tout ce qu'il nous reste. »

La jeune fée sortit de dessous sa robe une baguette dorée. « Elle est magique ! » dit-elle. Elle en asséna un petit coup sec sur la tête de la principale gouvernante, qui ne sembla pas en ressentir l'effet.

La fée s'étonna de l'absence de réaction de la dame :

« Lorsque le bout de ma baguette magique touche quelqu'un, celui-ci sombre aussitôt dans un profond sommeil. Que se passe-t-il ? Elle ne serait plus magique, ma belle baguette ? »

À cet instant, Stitou le nain apparut, une baguette argentée à la main. Il la tendit à la fée :

« L'or n'endort plus, au contraire, il éveille les appétits. Tiens, prends cette baguette, elle a été trempée cette nuit même dans un bain d'argent. »

La fée s'en empara et se mit à toucher les têtes des

personnes présentes. Tout le monde reçut son petit coup, y compris les chevaux et les animaux de compagnie. Stitou échappa au charme et disparut très vite. Les hommes, les femmes et les bêtes s'endormirent lentement tout autour de la chambre bleue. Le feu s'éteignit dans les cheminées. Les lampes à huile perdirent leur flamme. Le soleil se coucha plus tôt que d'habitude ; la lumière devint pâle, puis ce fut la nuit.

La fée fit quelques pas, puis s'adressa au roi :

« Cette nuit sera longue, elle durera cent années. Vos gens se réveilleront en même temps que la princesse et seront là pour la servir. Ne vous en faites pas. Tout se passera bien. J'y veillerai moi-même. »

Le roi déposa un baiser sur le front de Jawhara. La reine essuya ses larmes et embrassa les mains jointes de sa fille. Ils quittèrent ensuite le palais et en interdirent l'accès pour s'installer dans une petite maison à la montagne d'où ils pouvaient apercevoir leur ancienne résidence. Ils furent surpris de constater que le château fut bientôt recouvert d'une immense toile blanche entourée de cordes de plusieurs couleurs. Le bâtiment semblait être un grand paquet ficelé, attendant le retour de son propriétaire. Le roi pensa qu'il s'agissait encore d'un effet de la magie des bonnes fées. Il délégua son pouvoir à ses ministres et se consacra entièrement à la lecture de textes mystiques. Il se contentait de peu de chose : sobriété, modestie et méditation. La reine perdit peu à peu la mémoire et l'envie de vivre. Quelques années plus tard, ils moururent enlacés dans leur lit pendant leur sommeil.

Cent ans plus tard, le château était toujours enveloppé. La toile blanche était devenue grise. Les cordes avaient lâché. Les arbres géants qui l'entouraient rendaient l'ancien palais inaccessible. Quoi qu'il en soit, les gens n'avaient aucune envie de s'y rendre, car on racontait des choses horribles à son sujet. Entre autres, que le château était hanté. Les fantômes de tout le pays s'y donnaient rendez-vous une fois l'an au moment de la pleine lune. Ils y organisaient des bals et des orgies où des enfants étaient sacrifiés. Certains ajoutaient même que des vampires venus des cimetières de l'Est s'y livraient à des échanges de sang frais en s'embrassant goulûment. Une autre rumeur prétendait que la toile cachait non pas un palais, mais un cirque où les animaux avaient dévoré leurs dompteurs et pris le pouvoir. Ou encore que la forêt qui entourait le château était peuplée de singes atteints d'une maladie très contagieuse et mortelle. Personne ne devait s'en approcher. D'autres enfin racontaient que c'était là la maison de Kandisha, la fée la plus vieille, la plus sale, la plus venimeuse, et par conséquent la plus dangereuse de toutes. Les rumeurs se multipliaient et affirmaient tout et n'importe quoi. La plus extravagante parlait d'une princesse jeune, d'une bonté à faire tomber les oiseaux du ciel, unique fille d'un roi mort depuis longtemps, et qui serait endormie dans une superbe chambre de ce palais depuis cent ans. Cette histoire était racontée sur les places publiques par un célèbre conteur du nom de Perrault. Il apparaissait, livrait son récit puis disparaissait. Les gens riaient et ne le croyaient pas.

Un jour, Qaïss, le fils du roi, passa non loin du château et fut comme attiré par cette chose grise entourée d'une forêt dense. Il demanda ce que c'était.

« Ô Monseigneur, il vaut mieux que vous n'en sachiez rien ! lui dit le grand vizir.

– Ô Monseigneur, c'est le château de l'ogresse la plus méchante de la Terre, dit un autre.

– C'est un lieu hanté par des esprits mauvais, nourris du sang des enfants, dit l'aide de camp du roi.

– C'est un ancien palais maudit par Dieu et les hommes, dit son secrétaire.

– On raconte aussi une histoire à dormir debout, celle d'une princesse qui y sommeillerait depuis cent ans… Un certain M. Perrault l'a racontée dans le village des Sept Fées. D'après ce conte, la princesse attendrait d'être réveillée par le fils d'un roi. À mon humble avis, cela n'a aucun sens. Dormir cent ans ! La pauvre princesse doit être toute ratatinée, ridée et réduite en poussière. Cent ans ! Allez réveiller de la poussière ! Tout s'évanouit, tout s'éparpille et il ne reste plus rien de la charmante personne.

– Vous avez certainement raison, mais je suis curieux d'aller voir de plus près ce qui se passe dans ce château. Voyez-vous, j'ai fait un rêve l'autre nuit : j'étais perdu dans le désert d'Arabie, je marchais sans cesse, il y avait à l'horizon un château illuminé de toute part. Plus j'avançais, plus il s'éloignait. Mais alors, deux anges me prenaient sous leurs ailes et me déposaient dans la cour du château. Il y avait là une très belle princesse qui jouait au cerceau et qui chantait quelque chose comme "J'attends mon prince charmant…" Dès que je m'approchais d'elle, tout s'évanouissait en fumée. C'est à ce moment-là que je me suis réveillé en sueur, le cœur battant. Depuis, je sais que je suis attendu par une jeune fille qu'il me faut libérer. Voilà pourquoi je vais forcer la porte du palais et aller chercher cette princesse que j'aime déjà. »

Mis au courant, le roi convoqua son fils et lui dit : « Une princesse dormant depuis cent ans ! Tu ne crois pas que tu as mieux à faire que d'aller réveiller un fantôme ? Sais-tu que tu dois intégrer l'Académie militaire pour préparer ton règne à venir ? Le monde change, nous ne vivons plus à l'époque des contes de fées. Tu sais que le pays souffre d'une interminable sécheresse et que nous avons de nombreux problèmes à affronter, mon fils ; il faut s'y préparer. Les paysans quittent leurs terres et viennent mendier aux portes des villes. C'est une honte ! Il faut faire quelque chose, trouver une solution pour qu'ils puissent irriguer la terre. J'ai donné l'ordre d'arrêter les fontaines dans le palais et de détourner le cours de certains ruisseaux en direction des plus nécessiteux. Et toi, tu me parles d'une princesse centenaire qui t'attendrait dans un château nid à poussière !

– Mais, père, je dois y aller, c'est plus fort que moi. Je vous promets qu'ensuite j'exécuterai vos ordres.

– Puisque tu insistes, je vais te faire accompagner par quelques éléments de ma garde. Il vaut mieux être prudent, cela pourrait être un piège. »

Suivi par sept hommes armés, le jeune prince avançait dans la forêt. Dès qu'il touchait un arbre pour se frayer un chemin, des oiseaux morts en tombaient et jonchaient le sol. Mauvais présage. La garde marchait sans faire de commentaire. Arrivés à la porte du château, les sept hommes furent engloutis dans une trappe recouverte par du feuillage. Le prince prit peur, tira sur le bout d'une corde, et toute la toile qui enveloppait le bâtiment se réduisit en poussière grise. Il poussa la porte qui grinçait. Il crut pénétrer dans un musée de cire. Des hommes, des femmes et des chiens étaient immobiles, figés dans leur attitude. À peine eut-il posé un doigt sur le premier homme assis, un morceau de galette à la main, que celui-ci s'écroula par terre, réduit dans sa chute à un petit tas de cendres. Il toucha ensuite un chien, qui s'effrita de la même manière. Le prince comprit qu'il valait mieux ne plus rien tenter. Il suivit alors un rayon de lumière entré par l'œil-de-bœuf du grenier qui le mena à la fameuse chambre bleue. Son cœur battait fort. Il se sentait animé par une force intérieure étrange. Il était capable d'affronter tous les dangers.

La porte de la chambre était gardée par plusieurs serpents. Du bout de sa canne en argent, il toucha la tête verte d'une vipère. Elle était bien vivante, ouvrit sa gueule et lui envoya au visage un faisceau de lumière éblouissante. Il recula puis toucha de nouveau de sa canne un cobra qui se mit en boule. C'est alors que le prince entendit s'élever une voix :

« Enfin te voilà ! »

Il se retourna, jeta des regards autour de lui mais ne vit personne. De nouveau, la voix se fit entendre :

« Inutile de te retourner ; c'est le cobra qui te parle, celui qui en a assez de surveiller la chambre de ta bien-aimée. Alors entre, réveille-la et finissons-en ! »

Étonné, le prince voulut dire quelques mots, mais aucun son ne sortit de sa bouche.

« Au fait, as-tu quelque chose à fumer ? Une cigarette, du tabac à chiquer, ou des herbes d'Arabie qui font rêver… Tu ne peux pas parler ? Attends, la grenouille des mots est dans les parages, il suffit que tu lui caresses le dos sept fois et tu retrouveras l'usage de la parole. »

Le prince se mit à chercher la grenouille par terre.

Le cobra lui indiqua qu'elle était dans le ventre de Miche-Miche, le serpent en chef, le plus vieux de tous les reptiles, celui qui ne mord plus mais qui avale tout ce qu'il trouve.

« Attends qu'il éternue et qu'il crache. »

Figé dans son costume de prince, il attendit donc, tout en se disant que cela pouvait durer des années.

« Non, je lis dans tes pensées, c'est une question de patience. Ici, on se nourrit de patience ; c'est un plat qui se mange froid. Ne t'en fais pas, je vais t'aider, pas par amour de la monarchie, mais parce que nous en avons plus qu'assez de cette condition qui ne nous convient plus. Plus tôt nous serons libérés, mieux ça vaudra. »

À peine eut-il dit cela que Miche-Miche cracha la grenouille des mots. Elle était toute de papier mâché. Ce n'était pas un animal mais un paquet de livres comprimés. Des feuilles volèrent, le prince se pencha sur l'objet et le caressa sept fois. Des mots sortirent alors de sa bouche en une bousculade qui rendait tout incompréhensible : princesse, château, roi, cent ans, forêt, mer, foie, rideau, courage, garde, négresse, brune, noire, houleux, tempête, tête, arbre, cendre, lumière, merci, grâce, beauté, *karama*, *karima*, *amina*, *wojna*, *lezen*, *herut*, *vibor*, *diafemisi*, *walou*, *dine*, *mella*, *hench*, *qalam*, *sabr*, *jamal*, *siba*, *ghina*…

Le cobra vint de nouveau à son secours :

« Bon, tu as les mots, encore faut-il les arranger dans une suite logique. Mais pour cela, mon prince, il va falloir que tu surmontes une autre épreuve. Ne t'énerve pas, tu n'es pas dans ton palais mais dans le nôtre. Sois patient et écoute-moi bien. »

Le prince hocha la tête en signe d'assentiment et

attendit. Il vit le cobra s'approcher des autres serpents et leur murmurer quelque chose.

« Écoute, prince, nous souhaitons retrouver la liberté ! Cela ne dépend que de toi et de ce que tu vas faire. Voici notre requête : dès que tu auras recouvré la parole, tu prononceras la prière qu'il faut. »

Le prince se mit aussitôt à parler comme s'il était entouré de ses hommes de confiance, oubliant qu'il était en face d'un groupe de serpents :

« Quand la rivière est en crue, les serpents séduisent les grenouilles qui les cachent dans leur trou.

« Quand le vent secoue les arbres, les oiseaux perdent la tête et le nid.

« Quand le soleil brûle le haut des palmiers, les dattes tombent de fatigue.

« Alors je vous laisse partir, allez rejoindre les pierres chaudes de la montagne. Pour vous, la sécheresse est bénéfique. Peut-être qu'en vous glissant entre les pierres, vous ferez venir les nuages. »

Tous les reptiles se mirent aussitôt à ramper et disparurent sans faire d'histoires. Le prince se retrouva seul devant l'immense portail qui s'ouvrit lorsqu'il prononça la phrase : « Ô princesse, me voilà ! »

Les sept fées étaient là, entourant le lit où dormait Jawhara. Chacune tenait une bougie allumée. Le prince avança, hésitant, puis s'agenouilla et vit une jeune fille d'une beauté rayonnante. Quand il s'approcha de son visage pour l'embrasser, il sentit le sol se dérober sous ses pieds. Mais ses lèvres touchèrent le front de la princesse, et au même moment un puissant jet d'eau jaillit du lit, portant en son sommet Jawhara. Le prince recula, trempé jusqu'aux os. Son baiser venait de libérer une source d'eau magnifique et l'eau circulait partout, irriguant la campagne et la ville. La source était intarissable. Les fées se mirent à chanter pendant que Jawhara se réveillait lentement, toujours suspendue dans les airs. Le jet d'eau s'affaiblit enfin et la ramena au niveau du prince, qui lui tendit les bras.

Jawhara avait perdu le teint blanc de sa peau. Elle était devenue brune, très brune, presque noire. Une des fées s'exclama :

« Ô prince, ne soyez pas étonné ! Pour conserver sa jeunesse, la princesse a dû renoncer à la couleur blanche de sa jolie peau ; il fallait bien un petit sacrifice… Mais je suis certaine que vous n'êtes pas de ceux qui ont des idées mauvaises à propos des gens de couleur !

– Moi non, mais ma mère est persuadée que les Noirs ont été inventés par Dieu pour n'être que des esclaves !

– Mais l'esclavage sera un jour ou l'autre aboli ! »

Le couple quitta le château suivi des fées qui jouaient de la musique. Jawhara était à peine étonnée. Cent ans de sommeil ! Une longue nuit au cours de laquelle ses rêves avaient tous été merveilleux. Elle avait pourtant une autre image du prince qui devait la délivrer. Elle l'avait imaginé blond, grand et les yeux verts. Celui qui la portait dans ses bras était brun, petit de taille, chétif, et il avait les yeux bleus. Elle se doutait que toute sa famille avait disparu. Elle murmura à l'oreille de son prince :

« Comment t'appelles-tu ?

– Qaïss.

– Comment se fait-il que tu aies les yeux bleus ?

– Je les dois à ma mère.

– Où m'emmènes-tu ?

– Au pays où personne ne dort.

– Cela me va ! Mais comment font les gens pour rester éveillés ?

– Ils vivent debout. Il n'y a pas de lits, pas de couvertures, pas de draps, pas de somnifères…

– Pas de rêves non plus !

– Ils rêvent les yeux ouverts. Ils se parlent et échangent leurs rêves.

– Ne tombent-ils jamais malades ?

– Si, on les enterre debout, sur place. Seule la famille royale a le droit et le privilège de dormir.

– Mais je n'ai aucune envie de me rendormir.

– Quand tu auras vu la reine mère, tu changeras d'avis.

– Pourquoi ?

– Parce que ma mère n'aime pas les étrangers ; elle est blanche et n'aime pas les Noirs. Le roi est blanc. Moi je viens d'une autre planète, je ne suis pas de leur avis. »

Le prince Qaïss fit une entrée discrète au palais. Les fées bénirent le couple puis disparurent. La pluie tombait, la terre était irriguée, et partout les habitants faisaient la fête. La princesse était heureuse, même si elle redoutait la rencontre avec la reine mère. Lisant dans ses pensées, Qaïss la rassura :

« Je ferai tout pour que ma mère ne te fasse pas de mal. Nous allons nous marier et avoir des enfants ; nous quitterons “le pays des gens debout” et nous irons nous installer dans “le village des rêves réalisés”. Là, le mal, la cruauté, la trahison n'ont pas droit de cité. Les gens méchants y sont pourchassés.

– Un monde sans méchanceté, c'est merveilleux mais impossible !

– Tu verras, nous serons entourés de jardins, de ruisseaux et de tous les animaux que tu aimes.

– Que ferons-nous de nos journées ? Tu comprends, j'ai envie d'agir, de faire des choses. Cent ans d'inactivité, c'est long ! »

Jawhara était vive, belle et toujours souriante. Tout l'étonnait, tout la rendait heureuse. Quand elle évoquait son long sommeil, elle parlait d'une parenthèse magique, d'une retraite avant l'heure, d'une expérience du vide et du rien. Car elle ne se souvenait pas des rêves merveilleux que les fées lui avaient fait faire durant ces années si ce n'est du visage de son prince charmant, celui qui devait venir la réveiller.

Alors que les deux amoureux s'apprêtaient à sortir de leur pavillon, la reine mère surgit telle une furie et s'en prit violemment à son fils :

« Où as-tu trouvé cette guenon ? Tu ne vois pas ce que le cœur d'une mère voit : elle est toute ridée, elle sent le sommeil aigre et a une haleine aussi fétide que celle d'une morte déterrée ! Sa peau n'est pas noire, c'est de la saleté ; elle ne s'est jamais lavée. Cette noirceur ne partira jamais, elle est noire pour toujours, et tu sais ce qu'on fait des Noirs ? Des esclaves, oui, des domestiques, des gens soumis parce qu'ils sont nés pour servir et se taire ! Ô mon fils, c'est ton père qui t'a indiqué ce chemin ? Cela ne m'étonne pas, il est si bête et toi si naïf ! Une princesse qui a dormi cent ans ! Et quoi encore ? Tu as cru cette histoire de fou et tu me ramènes au palais celle qui devrait être au cimetière !

– Mère, tu es méchante et injuste. Tes yeux sont pleins de haine. Laisse cette fille en paix. Occupe-toi de tes autres enfants, moi, je me retire et je protégerai ma belle.

– Ta belle ! Depuis quand les négresses peuvent-elles prétendre à la beauté ? »

Le soir même, la reine mère convoqua la fée mauvaise, celle qui avait succédé à Kandisha et qui se faisait appeler Ronda car elle était spécialisée dans un jeu de cartes venu d'Espagne portant ce même nom.

« Fais quelque chose, débarrasse-moi de cette citrouille sèche, elle doit repartir et laisser mon fils en paix.

– Je ne peux rien faire contre elle, elle est mille fois protégée, elle est inaccessible, les autres fées l'ont armée, elle est hors d'atteinte, je crois même qu'elle n'existe pas...

– Tais-toi, imbécile ; bien sûr qu'elle existe, je viens de la voir !

– Oui, tu l'as vue, mais ce n'est que son corps. Son âme a déjà rejoint celle du prince Qaïss. Elle et lui ne font qu'un. Ils s'aiment, et contre ça, les fées, même les plus mauvaises comme Kandisha ou moi, ne peuvent rien. Tant que les gens s'aiment, on ne peut pas les détruire.

– Alors à quoi sers-tu ?

– À faire du mal, mais pas à tout le monde. Il y a des exceptions. La princesse en est une.

– Va-t'en ; je me débrouillerai toute seule. »

La reine mère comprit qu'il lui fallait attendre, prendre le temps de la réflexion et avoir recours à la ruse pour parvenir à ses fins. Elle n'adressa plus la parole à Jawhara. Les deux femmes s'évitaient, et tout le monde au palais était au courant de la haine que vouait la vieille à la jeune princesse. Le roi conseilla à son fils de s'exiler dans un lointain village ou sur une île. Qaïss et Jawhara partirent pour « le village des rêves réalisés » et ne parurent plus au palais.

Dans ce village ne vivaient que des gens heureux. L'envie, la jalousie, la méchanceté, la fourberie, tous les mauvais sentiments étaient bannis de ce lieu. Chacun avait trouvé la sérénité en réalisant son rêve. On y croisait ainsi Adonis, qui se promenait avec une couronne sur la tête après avoir été nommé « prince des poètes » ; Maria, avec ses quatre enfants qui refusaient de grandir et se nourrissaient du lait de leur mère ; Angélique, une superbe femme brune qui volait comme un papillon au-dessus des fleurs ; des médecins et des avocats sans travail mais qui ne s'en plaignaient pas, des journalistes qui passaient leur temps à peindre des souvenirs, des sportifs qui se maintenaient en bonne forme physique dans la joie et le plaisir, des soldats sans armes faisant les cent pas pour passer le temps ; Halawa, une femme qui mangeait tout le temps sans grossir, et son mari qui s'enivrait rien qu'en buvant de l'eau ; des gens qui voyageaient en permanence, ne s'arrêtant au village que pour changer de tenue ; un groupe de mythomanes qui n'avaient plus besoin de se raconter des histoires, et des escrocs repentis qui ne volaient plus personne ; des magiciens qui faisaient disparaître l'argent et le remplaçaient par des bulles de savon ; des enfants qui vivaient dans les arbres…

Jawhara accoucha dans ce village de jumeaux, un garçon tout noir et une fille toute blanche. La fête dura plusieurs jours. Qaïss envoya un messager annoncer la bonne nouvelle à ses parents. La reine mère fit remplir un chariot de cadeaux et demanda au messager de l'offrir au jeune couple. Elle parlait avec douceur et pria cet homme de transmettre à Jawhara ses excuses pour l'avoir mal reçue. Elle espérait les revoir au palais avec leurs enfants.

Le fait d'être installé dans le village des rêves réalisés faisait disparaître toute mauvaise pensée ou intuition. Ni Jawhara ni Qaïss ne se méfièrent de la reine mère. Ils pensèrent qu'elle regrettait sincèrement son attitude et qu'elle voulait faire la paix avec la princesse. Qaïss décida, en accord avec son épouse, d'aller passer quelque temps au palais. Ils quittèrent le village où tous les habitants s'étaient regroupés pour leur faire leurs adieux. Des banderoles étaient suspendues entre les arbres :

> Qaïss et Jawhara, prunelles de nos yeux,
> le village des rêves réalisés vous exprime
> sa fidélité et son indéfectible attachement.
> Revenez-nous vite !
> Votre présence parmi nous est une grâce,
> un don du ciel.

Habillée de blanc, la reine mère les accueillit avec le sourire et les bras grands ouverts. Elle serra dans ses bras son fils puis sa bru. Quant aux jumeaux, elle demanda qu'on les lui amène dans ses appartements pour leur donner des cadeaux. Jawhara fut émue par ce changement de comportement. Elle entendit pourtant une voix, peut-être celle de la bonne fée, lui murmurer :

« Attention, ne crois pas à ces sourires et à cette bonté ; méfie-toi. Dis-toi bien que l'être humain ne change pas, qu'il peut feindre et frapper quand ta vigilance baisse la garde ! » Qaïss, voyant sa femme prise soudain d'une légère inquiétude, essaya de la rassurer :

« Ma mère t'aime. Quand elle t'a vue pour la première fois, elle a réagi sous l'impulsion de la jalousie ; son fils, le cœur de son fils avait été pris par une autre femme. Aujourd'hui, elle a changé, elle a eu le temps de réfléchir. À la naissance de nos enfants, elle a réalisé qu'elle nous aimait et a voulu nous le dire et même nous le prouver. Alors, s'il te plaît, fais un effort, souris et ne te méfie plus d'elle. »

La première semaine se passa sans incident. Les enfants jouaient chez leur grand-mère puis rentraient le soir chez leurs parents. Un jour, la reine annonça à son fils qu'elle comptait emmener ses petits-enfants avec elle dans sa promenade hebdomadaire en mer. La gouvernante ne pourrait les accompagner car elle ne s'était pas réveillée. Plus tard, on découvrirait qu'elle avait été endormie par une tisane dans laquelle on avait dissous une poudre soporifique. Ainsi la grand-mère était-elle seule avec les petits. Arrivée en pleine mer, elle demanda à son aide de camp de mettre à l'eau le canot de sauvetage, ordre que l'homme exécuta sans discuter. Elle installa les deux bébés dans le canot et prit de son côté le chemin du retour. Le soleil tapait fort. Les enfants se mirent à pleurer.

La grand-mère, trempée, fit bientôt son entrée au palais en pleurant et en se griffant les joues :

« Ô mon Dieu ! Quelle catastrophe ! Les bébés ont été emportés par une vague terrible ; nous avons fait naufrage, j'ai nagé, nagé, et puis une barque passant par là m'a sauvée ; quant aux enfants, je les avais mis dans le canot de sauvetage, mais malheureusement la mer a été plus violente que ma bonté et ils ont été emportés par des vagues très hautes ; je ne pouvais rien faire, j'ai crié, crié, mais mon domestique s'est noyé ; le capitaine s'est jeté à l'eau pour chercher les enfants et il a été lui aussi emporté par une vague de malheur… »

Jawhara et Qaïss n'avaient plus de larmes pour pleurer. Leurs yeux étaient secs, leur cœur brisé par la douleur. Alors ils se mirent à prier. La reine mère faisait semblant d'être accablée, pleurait et gémissait. Quelqu'un la surprit alors en train de humer un oignon coupé en deux afin de faire venir les larmes. Quand elle le vit, elle le menaça des pires représailles.

Au milieu de la nuit, on entendit frapper à la porte du palais. Jawhara bondit comme un animal qui aurait senti la présence de ses petits. Qaïss la suivit. Ils traversèrent les cours du palais en courant, à peine vêtus. Ce fut Qaïss qui ouvrit le grand portail. Il se trouva face à un vieillard tremblant, qui lui dit :

« Monseigneur, je ne suis qu'un pauvre pêcheur ; j'ai recueilli cet après-midi deux bébés abandonnés dans un canot ; je ne sais pas où sont leurs parents, peut-être se sont-ils noyés. Vous êtes un homme bon et j'ai pensé que vous accepteriez de prendre sous votre protection ces deux petits anges. En fait, je ne savais pas à qui m'adresser ; c'est ma femme, Halima, qui m'a conseillé de les déposer au palais. Elle leur a donné à manger et les a changés. Ils sont là, dans ce panier de pêcheur. Ils dorment et font de beaux rêves. »

Jawhara se précipita sur le vieil homme et le serra dans ses bras. Qaïss l'invita à entrer, mais le pêcheur lui dit qu'il devait repartir en mer.

La bonne fée murmura alors dans l'oreille de Jawhara :

« Je te l'avais bien dit. Les gens ne changent jamais. À présent, prends tes enfants et pars avec ton époux là où vous serez en paix, et sois patiente. Justice sera faite. Si tu sais attendre, tu verras l'âme de ton ennemi quitter avec douleur son corps, un corps détruit, sans force, sans espoir. »

Qaïss s'enferma dans ses appartements avec sa femme et ses enfants et résolut de ne plus avoir affaire à sa mère.

Quelques jours plus tard, celle-ci convoqua son fils et lui dit :

« Tu dois choisir entre ta mère et cette négresse, fille d'esclaves, fille des taudis et de la faim. Je suis ta mère, je peux te retirer ton titre et te renvoyer au néant ; tu n'as pas écouté mes conseils, et tu as suivi ceux de ton père. Vous m'avez tous les deux trahie. À présent, je ne veux plus de cette chose chez moi ; ou bien tu t'en débarrasses, ou bien tu quittes le pays. Moi vivante, tu ne seras jamais en paix.

– Mais, mère, pourquoi tant de haine ? Pourquoi ton cœur est-il noir, ton foie sec et tes yeux jaunis par la détestation ? Que te manque-t-il ?

– Je n'ai pas à discuter avec toi de mon état ; tu me dois respect et allégeance, et si tu résistes, c'en est fini de toi. »

Qaïss décida de prendre conseil auprès de son père malade. Il était pâle et très fatigué.

« Mon fils, je t'attendais. Je suis malade, je crois que ce n'est pas naturel, peut-être ai-je été empoisonné ou suis-je ensorcelé ; je perds toutes mes forces mais pas ma tête, ni ma lucidité. Je n'aurais pas dû te laisser aller réveiller cette pauvre princesse. Depuis ce jour-là, je ne me sens pas bien. On dirait que quelqu'un de très mauvais m'a jeté un sort. Ne me dis pas que tu ne crois pas à la sorcellerie, nous sommes tous des proies faciles car nous sommes des gens sincères et naïfs. Ne t'en va pas, ne pars pas, mon fils, il faut résister et te battre contre le démon.

– Mais quel est ce démon qui nous harcèle ?

– Ah, mon fils, les théologiens, les savants, les hommes de bien te diront que le démon est en chacun de nous ; chez certains il est visible, chez d'autres il se dissimule ; disons que toi et moi, nous luttons pour qu'il s'éloigne, pour qu'il n'agisse pas à travers nous. Je sais que tu penses à ta mère, je n'ose pas l'accabler. J'ai appris ce qu'elle a fait à tes enfants, mais c'est la jalousie qui la fait agir ainsi ; elle-même est habitée par un démon qui vient de loin. Protège tes enfants, fais le bien autour de toi, et surtout n'entre pas dans l'engrenage de la sorcellerie et de ses représailles. Appelle un médecin qui ne fasse pas partie de ma cour, un étranger, quelqu'un qui ne me connaît pas, dis-lui de venir me voir, je voudrais savoir ce qu'on m'a fait avaler. Fais-le discrètement, et n'en parle à personne. »

Pendant ce temps-là, la reine mère fit appeler El Ghoul, l'ogre le plus méchant du pays. Il habitait au sommet d'un arbre et n'en descendait que pour chasser les loups qu'il mangeait avec grand appétit. Un homme mangeur de loups ! Ce n'était pas une légende. Il aimait la viande crue et il lui était même arrivé de dévorer de jeunes bergers. Là, les versions divergeaient. Certains prétendaient qu'il ne mangeait que le foie et le cœur des hommes. D'autres disaient qu'il ne les tuait pas mais leur faisait subir de cruels sévices.

El Ghoul avait une apparence quelconque ; il n'était ni borgne ni boiteux. La méchanceté ne se lisait pas sur son visage. Les gens pensent que la laideur physique se confond avec le mal et la cruauté. Non, El Ghoul avait une apparence humaine tout à fait convenable. Quand il arriva au palais, il se mit à genoux devant la reine et lui dit :

« Que Votre Altesse donne ses ordres et son esclave les exécutera avec joie !

– Je voudrais que tu m'apportes le foie de la négresse, la prétendue princesse qui a dormi cent ans et qui a épousé mon imbécile de fils.

– Seulement le foie, Votre Altesse ?

– J'imagine que pour obtenir le foie tu dois auparavant lui ôter la vie !

– Cela dépend, Votre Altesse. Je pourrais la faire souffrir en lui retirant cet organe vital sans la tuer.

– Je l'attends sur ce plateau d'argent demain à la même heure. Va, voici un trousseau de clés pour ouvrir toutes les portes. »

El Ghoul partit à reculons sans lever la tête. Il surveilla l'entrée des appartements de Qaïss et Jawhara, et attendit que la princesse fût seule. Qaïss était parti chercher un médecin pour son père. El Ghoul s'introduisit dans le petit palais et se retrouva nez à nez avec la princesse. Il fut ébloui et faillit tomber. Sa beauté, la lumière qui se dégageait de son visage noir, la finesse de sa taille, la douceur de ses yeux le troublèrent et le mirent dans un grand embarras. Il commença par s'excuser :

« Princesse, je crois que je me suis trompé de chambre. Je suis ici pour réparer les volets que la tempête de ces derniers jours a cassés.

– Effectivement, le vent a soufflé avec beaucoup de violence. Mais vous n'avez pas votre matériel ?

– Je dois d'abord constater les dégâts et je reviendrai ensuite.

– Voulez-vous prendre une tasse de thé ?

– Volontiers ; c'est la première fois que je bois du thé avec une princesse d'une telle beauté. »

De nouveau, la bonne fée murmura à l'oreille de Jawhara des conseils de prudence.

Puis El Ghoul reprit :

« Ô princesse, vous êtes belle et jeune, la couleur de votre peau est magnifique, vous êtes bonne et lumineuse. Je suis dans l'obligation de vous avouer quelque chose d'horrible. Je ne suis pas menuisier. Je suis un monstre, mangeur de viande humaine, je n'ai aucun principe, aucune morale, je suis le fils aîné du démon, je suis vicieux, je suis rempli de haine, haine gratuite, pour tout le monde. Je n'ai pas d'amis, je n'ai que des ennemis, alors je passe mon temps à faire le mal, et je suis venu ici pour vous faire très mal. Je vous dis la vérité, d'habitude je ne parle pas, mais votre présence m'a rendu la parole et surtout m'a incité à m'expliquer sur mon travail odieux. Je ne vis pas avec les humains, je n'aime personne, je suis jaloux de tout le monde et ma seule réaction est de détruire, je suis un destructeur sans états d'âme, je n'hésite pas, ne pense pas, je n'ai pas de conscience, je suis pire que les animaux, car eux ne vous attaquent que s'ils ont faim ou si vous les provoquez. Or moi j'attaque ceux qui ne m'ont rien fait, j'égorge, j'arrache leur peau, je mange leur foie, je bois leur sang… Mais là, princesse, je me sens un autre, je me sens faible, les mots m'ont envahi et ont fait de moi un humain. J'ai des sueurs froides et j'ai honte, honte et peur, je n'ai pas envie de vous faire de mal, car c'est votre foie que je dois rapporter sur ce plateau à la reine, votre foie, vous rendez-vous compte ?

– Si vous voulez mon foie, je vous le donne, pourvu que vous ne fassiez aucun mal à mes enfants.

– Non, princesse, non, je ne vous toucherai pas. Je m'incline devant votre bonté et votre beauté. Vous êtes une personne merveilleuse, je regrette de m'être introduit chez vous et je souhaite vous aider, vous rendre service. Commandez, et j'exécuterai vos ordres.

– Je n'ai pas d'ordres à vous donner. Vous êtes libre.

– Non, je voudrais me racheter, faire le bien pour une fois, aidez-moi à faire le bien… Je pourrais par exemple vous apporter le foie de la reine qui est si méchante, ou son cœur…

– Non, je n'ai pas besoin de faire du mal pour me venger. Je laisse le ciel faire son travail. »

El Ghoul s'en alla en pleurant pour la deuxième fois de sa vie. La première remontait à son enfance, lorsqu'il avait été abandonné par ses parents et jeté dans la forêt où il vécut en compagnie d'animaux sauvages. La simple vue du visage merveilleux de la princesse avait suffi pour annuler en lui toutes les pulsions malveillantes et nocives. Plus il la regardait, plus ses penchants mauvais s'amenuisaient. Mais il ne pouvait pas revenir chez la reine les mains vides. Il fit un détour par la forêt, captura un jeune cochon, le tua, extirpa son cœur – c'est l'animal dont le cœur ressemble le plus à celui de l'homme – et le fit mariner dans une sauce aux dix épices auxquelles il ajouta une forte dose de mort-aux-rats. Il mit le cœur ainsi préparé sur le fameux plateau d'argent et partit l'offrir à la reine, qui s'impatientait dans sa salle à manger.

« Que Son Altesse me pardonne si j'ai tardé ! Il faut dire que la négresse a la peau excessivement endurcie, aucun de mes couteaux n'arrivait à la transpercer, il a fallu que j'aille aiguiser mes instruments avant de revenir dépecer l'ignoble chose. Son foie est immangeable, c'est du caoutchouc renforcé par des fibres quasi métalliques. Je l'ai jeté. D'ailleurs, un loup passant par là l'a mangé et il est mort sur-le-champ. En revanche, le cœur de la princesse est resté aussi jeune que son apparence, il est tendre, il est savoureux, et surtout il va redonner à Votre Majesté énergie et jeunesse. Je me suis permis de le faire mariner dans les dix épices que vous aimez : du cumin, du safran, du poivre, du piment rouge doux, du piment rouge fort, du gingembre, de la cannelle, de la mouche d'Inde, de la bergamote, de l'essence de coriandre mélangée à de l'huile d'argane qui vient d'un pays lointain appelé Maroc. Voilà, que la fête commence ! Il n'y a plus de princesse noire, plus d'intruse dans la grande famille. Votre fils est libre. Il est à vous. »

La reine lança à El Ghoul une bourse pleine de pièces d'or. Il se jeta à plat ventre, avança comme un reptile, s'en empara et la porta à sa bouche pour l'embrasser.

« J'embrasse tout objet qui a été en contact avec vos mains. C'est un grand honneur pour moi de vous avoir servie. Que Dieu vous donne une longue vie où vous ne verrez que ce que votre cœur souhaite voir. Que Dieu vous donne la santé et l'énergie pour triompher de tous ceux qui osent vous vouloir du mal, que ce mal se retourne contre eux et qu'il les brise définitivement.

– Assez, El Ghoul ! Viens manger avec moi ! »

Tout tremblant, El Ghoul essaya d'éviter cette épreuve :

« Mais Votre Majesté ne peut pas partager sa table avec un pauvre vagabond des forêts tel que moi, cela n'est pas convenable. Je ne suis qu'un esclave, le serviteur fidèle de Votre Majesté. Donnez-moi ma part et je la mangerai dans mon arbre comme d'habitude. »

Elle lui jeta un morceau du cœur. Il le baisa, le mit dans sa sacoche et partit à reculons.

Après seulement quelques bouchées du cœur de son ennemie, la reine fut prise de douleurs atroces et transportée dans sa chambre. Son agonie dura toute la journée, puis toute la nuit. Au matin, stupéfaite, elle vit apparaître son fils suivi de son épouse. Elle poussa un cri et dit :

« Elle est encore vivante ! Je savais que les Noirs n'étaient pas faits comme nous ; ils ont tous les organes en double. Ils nous sont supérieurs, voilà pourquoi il nous faut tous les tuer… »

Le médecin fit son diagnostic :

« Empoisonnement. Votre mère a été empoisonnée. Appelez le cuisinier.

– Il est mort en glissant sur une peau de chèvre ; il est tombé et sa tête s'est fracassée.

– Dieu l'a puni ! »

La reine se mit à suffoquer, ne pouvant plus prononcer un mot. De la bave blanche coulait de la commissure de ses lèvres, elle devint toute verte, puis toute bleue, et mourut finalement étouffée par des spasmes que rien ne pouvait arrêter.

Le roi accourut. Il se trouvait alors dans le nord du pays. Dès qu'il la vit, il sut qu'elle avait été victime de sa propre méchanceté. Un être mauvais finit toujours étranglé par le mal qu'il porte en lui.

Qaïss pleura. C'était sa mère qu'il enterrait. Jawhara était triste. Elle était incapable d'avoir de mauvais sentiments. Elle raconta à ses enfants que leur grand-mère était partie au ciel. Deux anges l'avaient transportée vers les portes du paradis. Là, elle devrait répondre à quelques questions avant de rejoindre les gens de son rang et de sa qualité.

Un an plus tard, le roi abdiqua et laissa le trône à son fils. Jawhara eut peur, tout à coup, de ne jamais vieillir. Elle fut prise d'angoisse.

Aucune ride ne fit en effet son apparition sur son doux visage. Ses enfants grandirent et firent de leur mère la « sainte du temps ».

2

La petite à la burqa rouge

Il était une fois une petite paysanne d'une beauté éblouissante, qui s'appelait Soukaïna. Elle était tellement belle que, lorsqu'elle faisait sa toilette au pied de la source, les oiseaux et les animaux de la forêt accouraient pour l'admirer et lui faire fête. Elle était si belle que les fruits et les moineaux tombaient des arbres. Quand elle repartait au village, certains animaux l'accompagnaient en formant une haie d'honneur. Mais cette petite n'avait que sa mère qui, il est vrai, l'aimait par-dessus tout. Celle-ci était toujours prise de peur lorsque sa fille sortait de la maison.

C'était l'époque où des hommes barbus, vêtus de tuniques noires, armés de sabres et de fusils, faisaient la loi et persécutaient les hommes qui ne fréquentaient pas assidûment la mosquée, lapidaient les femmes qui osaient les défier en portant des tenues légères. Ils interdisaient les écoles aux filles et surveillaient de près l'éducation des garçons, qui devait être strictement religieuse. Ils formaient une secte ; on les appelait « les Hypocrites », parce qu'ils disaient agir au nom de la religion alors qu'ils se préoccupaient bien davantage du trafic de drogue. Certains s'autoproclamaient « émirs », d'autres « imams », tous prétendaient faire la loi, pillaient le pays et faisaient fuir les touristes. La secte propageait le malheur sur un pays où musulmans, chrétiens et juifs vivaient pourtant en bonne intelligence.

Le pays souffrait en silence sous cette dictature. Ceux qui élevaient la voix étaient arrêtés et torturés. Partout régnait la peur. Mais la petite paysanne, qui avait pourtant entendu parler des méfaits commis par ces brutes qui sillonnaient la ville, n'en avait absolument pas peur. Peut-être était-elle inconsciente du danger qu'elle courait ? Peut-être se sentait-elle assez forte pour affronter n'importe quelle menace ? Elle avait bien entendu parler de viols collectifs de jeunes femmes, de lapidations d'épouses accusées d'adultère sans aucune preuve, mais elle était convaincue qu'elle-même était protégée par la prophétie de son père qui, sur son lit de mort, lui avait prédit un destin exceptionnel.

Un jour, sa mère apprit que la grand-mère de la petite, qui habitait en dehors de la cité, à l'orée d'un bois, était malade. Elle avait attrapé froid, disait-on. Un messager était venu en informer la famille. Mais la mère, qui avait fait une mauvaise chute dans l'escalier, était alors dans l'incapacité de se déplacer. Elle chargea donc Soukaïna de porter à sa grand-mère des crêpes au beurre, un pot de gelée royale et un médicament contre le refroidissement. Elle lui dit :

« Ma fille adorée, tu apporteras tout cela à ta grand-mère, puis tu reviendras aussitôt à la maison. Ne parle à personne en chemin, tiens-toi sur tes gardes et, surtout, ne t'attarde pas. »

Soukaïna lui fit remarquer qu'elle n'avait pas de burqa pour sortir, et que les affreux barbus pourraient trouver là un prétexte pour s'en prendre à elle.

La mère s'empara alors d'un drap rouge et enroula sa fille dedans. Ainsi enveloppée de la tête aux pieds dans cette burqa de fortune, l'enfant s'en fut chez sa grand-mère.

Soukaïna ne voyait que d'un œil, l'autre étant caché par un pan de la burqa. C'était ainsi que les femmes devaient se couvrir pour ne pas s'attirer les foudres des horribles barbus. Elle marchait donc en regardant par terre et priait Dieu qu'il fît en sorte qu'elle échappât aux contrôles, car les barbus occupaient la ville après avoir mis en échec les troupes de police et de gendarmerie. Ils quadrillaient désormais le pays, dressaient des barrages ici et là, imposaient leurs lois et semaient la terreur. L'argent de la drogue leur avait permis de se procurer des armes et de s'assurer des moyens de communication efficaces. Les gens de l'ancien régime s'étaient exilés, abandonnant le pays et son peuple à ces bandes de criminels.

Soukaïna traversa la ville sans se faire remarquer. Elle était si menue que personne ne fit attention à cette petite chose rouge.

Mais lorsqu'elle parvint à l'orée du bois qui menait vers la maison de sa grand-mère, un jeune barbu, hirsute et entreprenant, lui barra le chemin :

« Oh là ! Où va-t-on comme ça ? Et pourquoi ce déguisement ? Ne sais-tu pas que le rouge est la couleur de la révolte ? Serais-tu une rebelle opposée à notre belle révolution ? »

Soukaïna fit mine de ne rien comprendre et se mit à pleurer. Curieusement, le grand type tout maigre fut touché par ces larmes :

« Mais petite, ne pleure pas, dis-moi où tu vas et je

t'aiderai. Car ici, vois-tu, dans cette forêt, il y a des loups méchants, très méchants même, et qui aiment la chair fraîche. Alors dis-moi où tu vas.

– Je vais voir ma grand-mère malade, je lui apporte quelques crêpes, du miel et des médicaments.

– Où habite-t-elle ?

– Dans une maison verte à la sortie du bois. En fait, elle était bleue, mais les herbes l'ont envahie, et depuis on l'appelle "la maison verte".

– Tu sais, on nous a appris à l'école coranique à toujours venir en aide aux personnes âgées, surtout quand elles sont malades. Il faut donc que je rende visite à ta grand-mère, c'est un devoir dicté par la foi. Si tu veux, je te devance, je l'avertis de ta visite, je suis sûr que ça lui fera plaisir. »

Soukaïna lui demanda :

« Mais pourquoi tu portes une arme ?

– Tu veux parler de mon poignard ? Il est magnifique, c'est une pièce de musée, je l'ai hérité de mon grand-père, qui avait combattu les Anglais quand ils occupaient notre pays. Mais ce n'est pas une arme, on peut à peine couper le beurre avec.

– Oh ! Mais tu as aussi un fusil ! C'est pour ouvrir des pastèques ?

– Non, le fusil n'est pas armé. C'est juste pour faire peur.

– Mais tu as peur de qui ?

– Je n'ai pas peur, c'est moi qui dois faire peur aux voyous, ceux qui ne respectent pas les lois de notre religion bien-aimée, ceux qui traquent les jeunes filles qui répandent partout le vice et la débauche. Mais toi, tu n'as rien à craindre, tu es innocente, tu prends soin de ta grand-mère. C'est vraiment bien de se comporter comme ça, conformément aux recommandations de Dieu Tout-Puissant. »

Soukaïna s'efforça de paraître rassurée. Avant de la quitter, la grande brute barbue lui tapota la joue, ce qui fit tomber la burqa et dévoila ses jolies formes. Elle avait de petits seins bien sages dont on devinait les mamelons naissants. La brute la regarda de ses yeux rouges et exorbités, puis fit un geste pour s'approcher d'elle. Soukaïna recula alors, remit sa burqa en place et dit à l'homme de s'éloigner. Le ton était ferme, pas vraiment celui d'une jeune fille apeurée.

L'homme s'élança alors comme une flèche et disparut dans le bois.

Soukaïna était inquiète, mais se rassurait en pensant que sa bonne étoile veillait sur elle. Elle songea tout de même à rebrousser chemin, mais l'image de sa grand-mère la convainquit de remplir son devoir. Elle continua donc sa route sans se presser.

Telle une furie, l'homme entra par la fenêtre, se précipita sur la vieille dame qui dormait et la poignarda sauvagement. Elle eut juste le temps de prononcer la formule attestant qu'il n'y a qu'un Dieu et que Muhammad est son Prophète. La brute n'eut pas de mal à dissimuler le corps de la grand-mère dans une couverture et à le glisser sous le lit avant de prendre place, vaguement déguisé, là où la vieille femme reposait quelques minutes auparavant.

Soukaïna eut le pressentiment que quelque chose de mauvais venait d'avoir lieu. C'était un sentiment qu'elle connaissait bien, son cœur l'informait fidèlement de certains événements. Elle s'arrêta net devant la porte, tendit l'oreille, mais n'entendit rien. Elle appela alors sa grand-mère. Pas de réponse. Elle frappa à la porte et cria :

« Grand-Mère ! Grand-Mère, es-tu là ? »

Le barbu répondit d'une voix grave et chevrotante :

« Oui, je suis là, ma petite-fille, la clé se trouve dans le bol en terre cuite. »

Elle entra lentement et sentit une drôle d'odeur.

« C'est quoi, cette odeur, grand-mère ?

– Oh, ma petite-fille, le voisin a égorgé un mouton pour la naissance de son garçon, ça pue le sang… Ne fais pas attention, viens, viens vite réchauffer ta vieille grand-mère malade. »

En s'approchant, Soukaïna comprit que le barbu s'était déguisé et qu'il avait pris la place de sa grand-mère. Son sang ne fit qu'un tour, elle faillit s'évanouir, mais quelque chose de fort en elle l'en empêcha. Surtout ne pas éveiller de soupçons. Alors, elle dit d'une petite voix :

« Mais, grand-mère, il ne faut pas que je m'approche de toi, je vais attraper tes microbes ! Je vais rester un peu loin du lit.

– Très bien. Mais je voudrais que tu me donnes ce que tu m'as apporté.

– Oui, grand-mère, laisse-moi le temps d'enlever ma burqa et je m'occupe de toi. »

Elle entra dans la cuisine et éclata en sanglots. Elle se mit en quête d'un grand couteau pour se défendre, mais il n'y en avait pas. Alors elle se ressaisit et dit :

« Oh, grand-mère, veux-tu me raconter l'histoire du loup végétarien ? »

À ce moment, le barbu, qui n'en pouvait plus, se souleva comme un tigre et sauta sur Soukaïna, qui l'évita de justesse. Il retomba sur le coin de la table.

Alors commença une terrible lutte. Soukaïna, plus légère, plus souple, sautait d'un endroit à un autre, esquivant les bras tendus du barbu qui hurlait de rage :

« Ah, tu crois que tu vas t'échapper ! Dieu a raison de nous mettre en garde contre la capacité de nuisance des femmes, tu vas voir, espèce de sale petite gosse, tu verras quand tu seras soumise à ma volonté… »

Elle ne répondit pas, continuant de courir en tous sens et de balancer tout ce qu'elle trouvait derrière elle afin de multiplier les obstacles dans sa course.

(Le barbu, bien entendu, est plus fort et mieux armé. Normalement, il devrait la coincer et la violer avant de la tuer. Mais il était dit que, pour une fois, l'innocence l'emporterait sur le mal absolu, les femmes sur la brutalité de certains hommes.)

À force de courir dans la maison, le barbu perdit son déguisement et apparut tout nu. Soukaïna éclata de rire en désignant son pénis :

« Oh, qu'il est petit le sexe du monsieur ! Oh là là ! C'est avec ça que tu violes les femmes ? Il est minuscule, tu devrais avoir honte… »

Plus elle riait, plus le barbu enrageait de ne pouvoir l'attraper.

Elle était maintenant accrochée en haut d'une poutre. Il eût fallu une échelle pour l'atteindre. Impossible. Là, elle était hors de danger. C'est ainsi que Soukaïna, sûre d'elle et de sa position, reprit ses moqueries :

« Tu te dis musulman ! Pauvre islam ! Tu n'es pas digne d'entrer dans cette religion. Tu n'es qu'un obsédé sexuel avec un tout petit zizi même pas capable de faire envie. Tu es laid et puant, tu es une petite chose sans importance, un assassin…

– Mais tu es une démone, où as-tu appris tout ça ?

– Oui, une démone qui va te couper les organes génitaux. De toute façon ça ne te sert à rien, juste à faire pipi… Et c'est ce que je ferai quand je t'attraperai ! »

Le barbu tira une table, y déposa un tabouret bancal et essaya de monter dessus. Mais il se flanqua par terre. Du sang commença à s'écouler, car en tombant, il avait fait pénétrer son poignard dans son flanc. Peut-être le foie était-il touché ? Il pleurait de douleur, se traînait par terre et suppliait que l'on vînt à son secours. Son état, pourtant, ne l'empêchait pas de proférer des menaces :

« Tu verras ce que je te ferai ; tu regretteras le jour de ta naissance, fille de Satan. »

Soukaïna descendit tranquillement de la poutre, parvint à lui attacher les pieds et sortit pour appeler de l'aide. Il y avait là des voisins, des chasseurs qui étaient en train d'astiquer leurs armes. Soukaïna leur raconta qu'elle venait de réussir à maîtriser l'assassin de sa grand-mère. Ils eurent vraiment peine à la croire.

« Toi, si menue, si jeune, tu as réussi à arrêter un criminel ?

– Oui, disons que j'ai eu de la chance. Mais il faut maintenant appeler la police.

– Mais ma pauvre, tu crois que la police va se déplacer ?

– C'est l'occasion pour elle de montrer qu'elle peut faire quelque chose, car il s'agit d'un de ces Hypocrites, de ces barbus qui empoisonnent notre vie. »

Les hommes se précipitèrent à l'intérieur de la maison verte. Le barbu gisait dans son sang, il agonisait tout en continuant d'insulter Soukaïna.

La police finit par arriver. Son chef était fort satisfait de mettre aux arrêts une telle brute, qui avoua aussitôt son crime :

« Dieu m'a puni, je me suis donné un coup moi-même avec mon poignard… c'est une punition divine… »

L'ambulance fut retardée à cause des barrages dressés par les Hypocrites. Quand elle arriva, il était trop tard, le barbu avait rendu l'âme.

Le chef de la police tint à raccompagner Soukaïna chez elle et présenta ses condoléances à sa mère, tout en la félicitant d'avoir une fille aussi intelligente et forte.

Tout le monde pleurait. On apprit le lendemain qu'une opération de la police et de l'armée avait abouti à l'arrestation de plusieurs membres de la secte des Hypocrites. Les autres avaient pris la fuite, car ils avaient leur base arrière dans le pays voisin, devenu le fief du terrorisme international.

L'enterrement de la grand-mère fut l'occasion, pour la population, de dénoncer non seulement la secte des Hypocrites, mais aussi le pays qui les aidait. Des manifestations eurent lieu un peu partout, avec le soutien de l'armée qui fit nommer un chef d'État pour assurer l'intérim. Certains sympathisants de la secte essayèrent de semer le trouble, mais la police reprit l'initiative et fit la chasse à ceux par qui l'obscurité était arrivée.

Soukaïna reprit ses études. Un jour, le professeur donna comme sujet de dissertation : « Commentez cette expression : “L'homme est un loup pour l'homme.” » Forte de son expérience, elle expliqua tout au long de son texte que le loup n'avait rien à faire dans cette histoire, le rat non plus, d'ailleurs, et conclut sur une formule qui lui parut plus juste : « L'homme est un homme pour l'homme. »

Depuis, le professeur consulta systématiquement Soukaïna avant de soumettre aux étudiants tel ou tel sujet d'étude, car il considérait qu'elle était non seulement très intelligente mais également dotée d'une sagesse et d'un bon sens qu'il admirait.

3

Barbe-Bleue

Il était une fois un homme, fils unique, qui avait hérité d'une grande fortune. Il n'avait pas besoin de travailler, vivait dans un grand château et ne savait que faire des biens dont il disposait. Il avait tout juste appris à lire et à écrire, s'ennuyait beaucoup, traitait mal son personnel et passait son temps à lutter contre le désœuvrement. Enfant gâté, sa fortune soudaine l'avait rendu plus arrogant encore. Le matin, il comptait son argent, qui était stocké dans un coffre immense. Cela l'occupait quelques heures, surtout quand il se trompait et devait tout reprendre depuis le début. L'après-midi, il faisait de longues siestes, accueillant dans son lit des femmes pulpeuses et soumises. Le soir, il comptait les tapis, les soieries et les broderies que son père avait rapportés de ses voyages en Extrême-Orient. Il faisait aussi ses cinq prières, tout en restant assis. Son gros ventre ne lui permettait pas de se prosterner comme il convient, et l'imam de la grande mosquée l'avait autorisé à faire ses prières assis, comme les malades et les handicapés. Il disait : « L'essentiel, c'est de faire le bien autour de soi, quand tu pries, pense à ceux qui n'ont rien. »

Il n'était pas un bon musulman mais veillait aux

apparences. Ainsi, une fois l'an, au moment de la fête du Mouloud, il faisait l'aumône et offrait un grand repas aux pauvres de la région.

Quand il se lassait de tous ses biens, il se réfugiait dans son hammam, espérant perdre ainsi quelques kilos. Il pensait alors à sa solitude, qu'il attribuait au mauvais sort que lui aurait jeté une femme, laquelle prétendait être fille naturelle de son père. Il l'avait chassée, et elle l'avait alors menacé de le faire vivre dans une solitude éternelle.

Momo, son masseur, était un jeune homme très beau et très droit. Il faisait son travail en silence, et parfois l'homme se confiait à lui. Il lui disait : « Comment fais-tu pour avoir tant de femmes à tes pieds ? Jeune ? Moi aussi je le suis. Beau ? Moi aussi je suis beau. Qu'as-tu de plus ? Quel est ton secret ? » Momo ne répondait pas, massait cette chair grasse et pensait à autre chose.

Un jour, l'homme lui dit :

« Je double ton salaire si tu m'amènes une de ces femmes au château. »

Momo fit non de la tête.

« Ce n'est pas mon travail. »

Cela rendit l'homme plus triste encore, plus tourmenté, car aucune femme ne répondait à ses avances. Il ne comprenait pas pourquoi elles le fuyaient car, lui, il se voyait comme un bel homme, intelligent, doté de charme et d'imagination. Il se disait, dans ses moments de solitude pesante : « Les femmes ne savent pas ce qu'elles perdent, avec moi elles connaîtraient le bonheur, la joie, la richesse et la fantaisie, car je sais faire rire et réussir des tours extraordinaires. Oui, je pourrais les rendre heureuses pendant un certain temps. »

À partir de ce jour, ce fut Amar, l'homme à tout faire, qui lui amena des filles. Il les ramassait dans des maisons pauvres et leur avançait de l'argent. À certaines il promettait un grand voyage, à d'autres il disait que peut-être le seigneur les garderait longtemps, peut-être même les épouserait-il. Elles le croyaient, le suivaient et ne revenaient plus. Amar se déguisait et changeait de quartier pour recruter de nouvelles filles. Il était devenu pourvoyeur en filles désespérées.

Pour passer le temps, et en attendant les femmes, son maître se faisait livrer des brebis qu'il torturait avant de les découper en morceaux qu'il faisait jeter dans la fosse aux lions par ses domestiques. Parfois on lui amenait un agneau qu'il cajolait comme s'il eût été son fils, avant de lui tordre le cou et de le laisser mourir dans un coin. Quand les serviteurs revenaient, il leur disait de le cuisiner et de distribuer sa viande aux pauvres. Les cuisiniers attendaient le vendredi, préparaient un grand couscous où il y avait plus de viande que de légumes, et le distribuaient à la sortie des mosquées. On disait aux gens : « C'est de la part du seigneur. » Tout le monde le bénissait et mangeait de bon appétit.

Pourtant, celui qu'Amar appelait « le seigneur » n'avait pas d'amis. Ceux qui le fréquentaient en voulaient à son or. Il se méfiait de tout le monde et passait bien du temps à admirer les poignards sertis de pierres précieuses que son père avait collectionnés.

Un matin, alors qu'il comptait ses billets, un chat noir aussi grand qu'un léopard surgit devant lui, miaula plusieurs fois jusqu'à attirer son attention. Alors, le chat s'installa sur un superbe coussin perse brodé de fils de soie et d'or, puis se mit à parler :

« Les femmes n'aiment pas les hommes radins, et moi je n'aime pas les patrons mesquins. Si tu veux que les femmes viennent à toi, sois généreux, laisse-toi aller et ne compte plus tes billets. Fais quelque chose d'original, arrange un peu ton apparence, sois plus simple, plus humain… Les femmes, il faut les aimer, les cajoler, les caresser, les faire rire, les placer très haut dans ton estime. Et puis, pourquoi as-tu besoin de tant de femmes ? Si tu étais un bon musulman, tu en aurais épousé une et tu lui aurais fait de beaux enfants. Mais tu es trop gourmand. »

L'homme n'était pas content :

« Qui es-tu pour me parler de la sorte ? Tu sais qui je suis ?

– Oh oui, je le sais très bien. Tu n'es pas digne d'être l'héritier de ton auguste père. Lui, au moins, il avait de la grâce. Mais tu l'as déçu, et je crois même que tu l'as tué. »

L'homme chassa d'un coup de pied le chat et se remit à compter son argent. Mais les mots qu'il venait d'entendre trottaient dans sa tête. Il renonça bientôt à son occupation et décida de consulter Amar, qui était aussi un sorcier à ses heures et savait s'y prendre pour éloigner de lui les mauvaises pensées.

Amar, obséquieux et roublard, lui conseilla de tuer le chat et de jeter son corps dans la fosse aux serpents. Mais entre-temps, l'animal avait disparu. Un chat qui parle et qui entend n'allait pas traîner dans cette maison de malheur.

Quand son maître se plaignit de ses médiocres performances sexuelles, Amar lui donna une poudre rouge qu'il devait dissoudre dans un verre de thym et boire en faisant sept fois le tour de la chambre. Un soir, ce breuvage, qu'il venait d'avaler, lui provoqua des coliques atroces. Un guérisseur vint à son chevet : l'homme crut son heure venue. Amar fut convoqué ; il livra la composition de l'aphrodisiaque. Ne pouvant se passer de ses services, l'homme le sermonna et le fit enfermer dans sa prison durant deux jours et deux nuits sans boire ni manger.

Un matin, se regardant dans le miroir, l'homme eut l'idée de se laisser pousser la barbe. Il voulait être différent, original, il ne se sentait pas comme les autres. Et puis il considérait qu'avec son physique d'athlète, avec son air d'homme mûr, avec son argent, il n'avait pas à faire d'efforts particuliers pour séduire les femmes. Il les aimait vraiment, mais à sa façon à lui. Les filles que lui fournissait Amar étaient souvent orphelines ou tellement pauvres qu'elles auraient accepté n'importe quelle aventure plutôt que de rester à moisir dans cette misère. Aussitôt qu'il avait assouvi son désir, il s'en débarrassait. Sur ce point, les historiens et les enquêteurs divergent : selon les uns il leur coupait la tête, selon les autres il les enterrait vivantes. Tout ce que l'on sait, c'est qu'elles ne réapparaissaient plus. Qui s'inquiéterait du sort des filles des rues, sans famille, sans mari ? Des prostituées par désespoir, que des brutes maltraitaient pour quelques sous. Certaines avaient réussi à s'échapper et se cachaient, d'autres s'étaient laissé prendre au piège et personne ne venait s'inquiéter d'elles.

Une fois sa barbe devenue longue et très fournie, l'homme devint plus hideux encore : sa barbe lui mangeait tout le visage et ses petits yeux avaient pratiquement disparu. Il décida alors de la teindre, espérant atténuer ainsi l'effet produit. D'abord il pensa à la couleur rouge, mais il se dit que la couleur du sang pourrait trahir ses intentions. Puis il pensa au vert, mais se dit aussitôt : « Je ne suis tout de même pas une plante ! » Finalement, comme une révélation, ce fut le bleu qui s'imposa. Pourquoi cette couleur ? Au sommet d'une montagne voisine vivait une secte ; ces hommes avaient tous la barbe bleue. On les appelait « les hommes bleus de la montagne ». Leur philosophie était simple : les femmes sont à l'origine du malheur du monde, il faut les combattre et si possible les éliminer. Cette secte se cachait dans des grottes inaccessibles et narguait les autorités, qui n'arrivaient pas à les mettre hors d'état de nuire. De temps à autre, certains d'entre eux descendaient en ville, y enlevaient une ou deux femmes et les jetaient du haut d'une falaise après les avoir violées. On parlait de cette secte sans la connaître. Les gens aimaient inventer des histoires extraordinaires à propos de ces hommes nés tous avec un sixième doigt et un orteil en moins. Ces signes particuliers étaient ce qui les rassemblait et faisait d'eux des gens à part. On disait d'eux qu'ils étaient des alliés de Satan, des êtres venus d'une autre planète, et que certains étaient tombés du ciel un jour de forte tempête. D'autres étaient persuadés que ces hommes n'existaient pas, que les autorités avaient tout inventé pour semer la peur.

De leur côté, des charlatans venus de tout le pays essayaient d'entrer en contact avec eux, car on prétendait que « les hommes bleus de la montagne » disposaient de pouvoirs exceptionnels.

Mais, bien entendu, il ne suffisait pas de se teindre

la barbe en bleu pour s'attribuer leurs pouvoirs. Il fit donc une nouvelle fois appel à son homme à tout faire, Amar.

Amar habitait à deux pas d'une famille paisible, dont la femme élevait ses deux filles en travaillant comme servante. Le mari était mort à la guerre. Les deux filles étaient belles et intelligentes, mais un peu naïves. Exactement ce que recherchait son maître. La mère fut amenée chez Barbe-Bleue, qui lui demanda la main de l'une de ses filles. Elle hésita, ayant besoin de temps, dit-elle, pour convaincre la future épouse d'épouser cet homme qui lui paraissait tellement étrange. La mère était dotée d'un sens aigu qui l'informait sur la qualité humaine de ses interlocuteurs. Sur-le-champ, elle s'avoua que rien de bon n'émanait de cette présence. Puis le bleu de la barbe l'effrayait. Que cachait-il avec cette teinture ? Son vrai visage !

Devant ses hésitations, Barbe-Bleue invita tous les membres de la famille, ainsi que leurs amis, à passer quelques jours dans l'un de ses nombreux châteaux. Il voulait impressionner ces braves gens qui avaient du mal à joindre les deux bouts. Il chargea Amar de procéder aux invitations. Pour ce faire, celui-ci revêtirait sa belle djellaba en soie blanche et son burnous, avant de se présenter avec un magnifique bouquet de fleurs à la main, comme c'est l'usage pour une demande en mariage.

L'aînée s'appelait Amina, l'autre Khadija. Elles avaient un an de différence mais rivalisaient d'intelligence et d'intuition. Amar se fit accompagner d'un flûtiste, qui jouait merveilleusement bien. Il se fit annoncer devant la maison de la mère, qui l'invita à entrer. Il lui tendit un bouquet de roses blanches et dit avec solennité :

« Mon seigneur et maître m'envoie vous prier de bien vouloir honorer de votre présence son château car il y donne une grande fête en l'honneur de votre fille ! Vous êtes invitées, vous, et aussi votre famille, vos amis et tous ceux que vous souhaitez associer à cette magnifique occasion. Venez, à partir de vendredi, juste après la prière de la mi-journée. »

La semaine se passa hors du temps. La fête sans discontinuer, des musiciens qui jouaient partout, des repas somptueux servis à toute heure du jour et de la nuit, des cadeaux et encore des cadeaux… Barbe-Bleue avait fait de gros efforts pour mettre entre parenthèses son avarice et sa mesquinerie. L'enjeu en valait la peine.

Le soir, des jeux étaient organisés dans différentes salles du château. On riait, on s'amusait, la vie était légère et belle. À aucun moment Barbe-Bleue n'eut de gestes déplacés ou d'attitudes ambiguës. C'était un seigneur qui se conduisait en grand seigneur. Sa barbe ne faisait plus peur aux jeunes filles. Khadija lui trouva même quelque charme. Sa sœur et ses amies se moquèrent d'elle, mais elle éclata de rire et dit :

« Jamais je ne partagerai la couche de cet homme gros et gras. »

Mais Amina lui dit :

« Après tout c'est un homme, avec lui tu seras, et nous aussi, à l'abri du besoin. Tous les hommes se ressemblent, il suffit d'apprendre à les amadouer et à en faire des agneaux entre nos mains. Il est vrai qu'avec Barbe-Bleue cela paraît difficile, mais regarde ses yeux, ils sont petits et remplis de tristesse ; c'est son point faible ; tu devras parvenir à faire disparaître cette tristesse qui le hante et le ronge. Le mariage, c'est cela : il s'agit d'extirper le chagrin de l'être que l'on épouse. Si tu réussis, ton homme t'appartiendra, ce sera toi la maîtresse du château, plus lui. Son or, ses bijoux, sa fortune, tout cela sera entre tes mains, à condition de savoir te conduire et de le rendre fou amoureux de toi ! »

Khadija répondit :

« Puisque tu sais tout cela, pourquoi ne l'épouses-tu pas ?

– Non, ma chère, c'est toi qu'il veut ; il l'a dit à notre mère. Et puis tu oublies Noureddine, l'homme que j'aime. »

Noureddine était un artisan très doué. Mais un jour il avait refusé de fabriquer un lit à baldaquin pour un prince, car l'on disait de ce dernier qu'il ne payait jamais les gens qui travaillaient pour lui. Sous un prétexte fallacieux, Noureddine avait été arrêté, accusé de vol et jeté en prison. Amina l'attendait et avait l'espoir de le voir libéré car elle avait réussi à prendre contact avec un juge honnête qui lui avait promis de tout faire pour le sortir de là.

Quelques semaines plus tard, le mariage de l'homme à la barbe bleue et de la belle Khadija fut célébré. Des festivités extraordinaires furent organisées durant plusieurs jours. L'homme avait fait venir des cuisiniers d'Inde, de Perse, du Maroc, de France, de Chine. Des musiciens de tous les continents se produisirent pendant une semaine entière. Khadija reçut en cadeau plusieurs robes confectionnées par des couturiers d'Europe. Des bijoux furent offerts à toute la famille. Rarement un mariage eut autant de retentissement.

La mère était inquiète, pourtant. Elle n'aurait pas su dire quoi avec précision, mais, à ses yeux, quelque chose clochait dans cette démonstration de richesse qu'elle jugeait indécente. C'était une brave femme que le destin avait maltraitée. Si elle avait consenti à ce mariage, c'était contre son gré en quelque sorte.

Amina était de son avis, mais elle comptait sur l'intelligence de Khadija pour faire échec à d'éventuels pièges. Elle disait : « Je n'aime pas son regard ; il y a quelque chose de troublant et d'inquiétant dans ses yeux. »

Un jour, Barbe-Bleue dut partir en voyage. Il avait entendu le conseil de l'imam, qui lui avait recommandé de faire le pèlerinage de La Mecque : « Après le mariage, tu dois honorer ton devoir de bon musulman en te rendant sur le tombeau de notre Prophète bien-aimé ; ainsi, tu auras accompli tout ce qu'un musulman doit à Dieu. » Il fit appeler sa femme pour lui expliquer ce qu'il attendait d'elle durant son absence, qui devait être assez longue :

« J'aurais aimé t'emmener avec moi, mais avant d'aller à La Mecque, je dois voir des gens ; mes affaires sont nombreuses et souvent ennuyeuses, tu le sais. Toi, tu resteras ici, et tu inviteras ta famille et tes amies pour passer le temps. Tu es chez toi, tu seras la gardienne du château, je te donne les clés : ce trousseau bleu réunit les clés des coffres-forts ; le rouge donne accès à la vaisselle et aux couverts en or ; le vert protège les documents importants et les cassettes où tu trouveras l'argent dont tu auras besoin ; le trousseau blanc est celui des passe-partout de toutes les portes du château. Dans ce trousseau, il y a une petite clé, elle n'est ni en or ni en argent, mais en fer brut. Et cette petite clé, tu ne dois jamais t'en servir ; elle ouvre un cabinet secret où personne n'a le droit d'entrer. Surtout tu l'oublies, tu ne cèdes pas à ton vilain penchant, la curiosité, tu n'entres en aucun cas dans ce cabinet qui se trouve au bout de ce couloir qui donne sur un autre couloir qui descend vers la cave, laquelle se situe en un sous-sol tellement labyrinthique que l'on s'y perd toujours. Alors, c'est bien compris, tu utilises toutes les clés, mais jamais tu n'ouvres la porte de mon cabinet secret. J'insiste parce que si, par malheur, il t'arrivait de désobéir, ma colère serait terrible et sans pitié. Que Dieu te garde ! »

Khadija promit de suivre à la lettre ses instructions et jura sur le Coran, sur la vie de sa mère et celle de sa sœur que jamais elle n'ouvrirait ce cabinet. Cependant, le fait que son mari ait tant insisté la mit au supplice. Sa curiosité avait été piquée au vif. Mais elle fit un grand effort pour surmonter son envie d'aller voir ce qui se cachait derrière la fameuse porte.

Barbe-Bleue partit rassuré. Amar rôdait sans cesse autour de Khadija ; quant à Momo le masseur, il avait refusé d'accompagner son employeur afin d'avoir du temps pour astiquer les objets en argent du château.

Quelques jours plus tard, un drame eut lieu au seuil du château. Amar fut poignardé par un jeune homme, le frère d'une des filles qui avaient disparu. Les autorités ne parvinrent pas à l'arrêter et des bruits circulèrent sur la perversité de cet homme au service de Barbe-Bleue.

Khadija invita sa famille et ses amies à venir lui tenir compagnie durant l'absence de son mari. Au matin, les femmes s'amusaient à faire des concours de cuisine.

Celle qui devait les départager s'appelait Bahija, une ancienne esclave noire qui avait été la onzième concubine du père de Barbe-Bleue et avait réussi à se rendre indispensable dans cette grande maison.

L'après-midi, elles se retrouvaient dans le hammam autour de Bahija, qui leur racontait des histoires. Celle que toutes réclamaient concernait la vie de la concubine. Elle leur disait alors comment elle avait été vendue à Moulay, un riche commerçant qui venait souvent faire des affaires au Sénégal : « C'était il y a longtemps, en un temps où l'on pouvait vendre et acheter des êtres humains. Nous étions dix enfants et, après la mort de mon père, ma mère a dû se séparer de cinq d'entre nous. Elle allait au marché aux esclaves, parlait longuement avec un patron qui lui glissait des billets dans la main et, sans se retourner, partait en courant comme si elle avait commis un crime. Je crois qu'elle pleurait. J'avais seize ans, et même si j'avais voulu m'enfuir, je n'aurais pas su où aller. Des hommes blancs en djellaba et burnous venaient nous regarder et même palper notre poitrine. De l'argent circulait de main en main, et c'est ainsi que je me suis retrouvée dans la caravane de Moulay, qui ne m'avait pas adressé la parole.

« À la première halte, il a demandé à l'un de ses agents de m'accompagner au hammam, où je devais faire ma grande toilette, puis il m'a fait remettre des habits neufs. Une fois que nous sommes arrivés au château, j'ai entendu Moulay dire à une femme blanche, sans doute son épouse, que moi, Bahija, j'occuperais la chambre du fond. Ainsi, toutes les nuits ou presque je recevais la visite de mon maître, qui ne disait toujours pas un mot. Si je ne l'avais pas entendu s'en prendre au personnel j'aurais pu penser qu'il était muet. Lorsqu'il entrait dans la chambre, je savais pourquoi il était là. Je le laissais faire, et quand il avait fini, il se levait et me tapotait la joue. Jamais je n'ai parlé avec les épouses blanches. Je vivais, mangeais et riais avec les domestiques. De temps en temps, le fameux Amar venait me dire que le Maître voulait qu'on lui serve un repas africain. Alors, ce jour-là, j'étais très heureuse. J'étais la reine de la cuisine. Personne n'avait le droit de m'embêter… »

Les filles buvaient ses paroles, subjuguées par ce récit qu'elle émaillait de détails qui les faisaient rire.

Un jour, Khadija lui posa la question qui était sur les lèvres de toutes ces jeunes femmes :

« As-tu eu des enfants ? »

Après un silence, Bahija dit de manière sèche :

« Non, pas d'enfants. »

Tout le monde comprit que mieux valait parler d'autre chose. Justement, les filles voulaient savoir comment s'était passée la nuit de noces de leur amie.

Khadija était un peu gênée, mais les filles étaient audacieuses et posaient des questions très précises.

Bahija lui dit :

« Vas-y, ma chérie, raconte-nous comment ton homme t'a honorée… »

Après un moment d'hésitation, Khadija balbutia quelque chose comme : « Non, pas honorée… »

« Raconte, insista sa sœur.

– Il n'a pas pu, son machin est trop petit ; il ne se lève pas comme on m'avait dit. Je me suis laissé faire, il a transpiré et s'est agité, puis il a renoncé sans dire un mot. Ensuite, il s'est endormi et a tellement ronflé que je n'ai pas fermé l'œil de la nuit. »

Bahija répétait comme si elle se parlait à elle-même :

« Barbe-Bleue n'est pas un homme… pas un homme… Si Moulay était là, il en mourrait de honte. »

Les filles réclamaient des détails. Elles insistèrent. Khadija se mit à raconter :

« Avec son gros ventre, il ne peut pas se baisser, il est encombré par son corps. À un certain moment, pour lui faciliter les choses, je voulus me mettre sur lui, mais il réagit mal, me traita de putain. Alors je repris ma place et le laissai se débrouiller. La deuxième nuit, je crois qu'Amar lui a donné à avaler une poudre rouge et noir. Mais il eut des coliques telles qu'il fallut appeler le médecin au beau milieu de la nuit. Quant à son machin, il était toujours aussi petit qu'un escargot. »

Bahija fit remarquer que le père était autrement mieux outillé. Les filles éclatèrent de rire puis passèrent à un autre sujet : la visite du château. Khadija leur fit part de l'interdiction qui lui avait été faite d'ouvrir la petite porte au fond du couloir. Leur curiosité fut aussitôt aiguisée à vif :

« C'est là que ça se passe ! dit l'une.

– C'est un lieu magique, il faut absolument aller voir ! » dit une autre.

Quant à Bahija, elle conclut :

« S'il voulait vraiment que tu ne découvres pas ce qui se trouve dans cette pièce, il aurait gardé la clé avec lui. Or, il te l'a laissée en te priant de ne jamais t'y rendre : c'est un peu comme s'il t'avait dit : “Vas-y, ouvre cette porte, tu verras ce qu'il y a à voir…” »

Khadija en convint. Elles la suivirent toutes en file indienne. Parvenue au fond du labyrinthe dont les murs suintaient l'humidité, elle demanda à ses amies de l'attendre : elle repensait aux menaces de son mari.

Mais elle était tellement tentée de lui désobéir qu'elle se dit finalement : « Tant pis, arrivera ce que pourra. »

Elle voulait entrer la première. Elle eut du mal à tourner la petite clé dans la serrure. Quand la porte s'ouvrit, elle la poussa avec difficulté ; elle grinçait, on aurait dit qu'un sac de sable la bloquait. Elle força un peu et parvint à entrer. La salle était sombre, seul un rai de lumière perçait une fenêtre mal fermée. Elle vit des choses, mais ne parvint pas à savoir de quoi il s'agissait exactement. Puis il y eut l'odeur, entre humidité et pourriture. En avançant, elle aperçut des flaques noires dures ; elle y enfonça un bout de bois : c'était du sang coagulé. Elle leva les yeux, et alors, elle aperçut des corps suspendus à des crochets de boucher. C'étaient des corps humains, des corps de femmes. Il y en avait plus d'une dizaine. Elle hurla, ce qui alerta ses amies qui attendaient devant la porte. Elles entrèrent à leur tour et se mirent toutes à pousser des hurlements de plus en plus forts. Bahija faillit même s'évanouir.

Elles quittèrent la pièce en courant. Khadija fit tomber la clé dans une flaque de sang. Elle la ramassa et sortit en pestant et en pleurant. Le cabinet secret renfermait toutes ces malheureuses qu'Amar amenait. Son maître les consommait, ou du moins essayait de les violer, puis, de rage, les égorgeait et les faisait porter là pour les garder comme dans un cimetière, un musée des horreurs.

Bahija savait tout cela mais n'avait rien dit, car elle voulait que la jeune épouse découvrît elle-même le vrai visage qui se cachait derrière la barbe peinte. Elle pleurait et jura à Khadija qu'elle l'aiderait de toutes ses forces à affronter cette brute criminelle.

Les amies eurent peur et quittèrent le château. La mère et la sœur de Khadija lui demandèrent de venir habiter chez elles. Il y avait cette clé tachée de sang qu'elle avait beau essuyer, rien à faire, c'était une clé spéciale, comme ensorcelée. Elle allait témoigner et raconter tout ce qui s'était passé. Morte de peur, Khadija se mit à courir dans tous les sens jusqu'à ce qu'une main forte la retînt, la main de son mari qui venait juste de rentrer de voyage. Il était méconnaissable, sa barbe était mi-noire mi-bleue. Il n'avait pas pu la teindre durant son séjour à La Mecque.

« Où vas-tu ?

– Nulle part, je t'attendais.

– C'est comme ça qu'on accueille un *hadj* ? Allez, il faut organiser la fête du retour. Pour le moment, viens divertir ton mari qui te veut après un mois d'abstinence.

– J'arrive, laisse-moi me préparer, en fait j'allais avec ma mère et ma sœur au hammam. Il faut que je me lave, c'est obligatoire, le sang m'a visitée. »

Il la crut et alla se reposer dans la chambre nuptiale. Il lui réclama auparavant les différents trousseaux de clés. Elle lui promit de les lui remettre juste après le bain. Il fit appeler Bahija et lui posa plusieurs questions. Elle répondit de manière assez vague et lui raconta surtout la mort d'Amar. Il ne fut ni surpris ni choqué. Il dit « Bon débarras », puis se renseigna sur sa femme et ses amies.

« Elles se sont bien conduites durant votre absence ; rien à signaler. Bon, il faut que je retourne à la cuisine, vous devez avoir faim, mes petits plats ont dû vous manquer… »

Khadija tremblait de peur. Elle ne put ni se laver ni faire ses ablutions. Elle était terrifiée et ne savait comment affronter le monstre. Elle aurait voulu s'enfuir avec sa mère et sa sœur, mais le mari, qui s'était relevé, rôdait maintenant dans la maison comme un lion en cage. Il voulait récupérer les clés. Amina, qui était restée, lui dit :

« Je vais chercher nos frères et nous reviendrons assez vite te libérer de cette prison. »

Elle serra très fort dans ses bras sa sœur, qui devait se préparer au pire, et partit en courant.

Le mari criait, distribuait des coups de pied partout autour de lui, hurlait de toutes ses forces : « Khadija, les clés ! » Il se doutait, bien sûr, de quelque chose.

Quand Khadija apparut tout habillée de blanc, elle lui dit :

« Le pèlerinage à La Mecque rend meilleur le musulman, il fait de lui un homme patient et bon, alors ne crie pas, sinon tu risques de perdre tout le bénéfice de cette bonne action que tu viens d'accomplir. »

Elle parlait avec douceur, même si au fond d'elle-même elle bouillonnait et se maîtrisait avec peine.

Elle poursuivit :

« Nous allons boire un thé à la menthe dans la véranda et tu me raconteras ton voyage. J'ai tellement envie de savoir comment ça s'est passé…

– Apporte-moi les clés et nous irons dans la véranda. »

Elle n'avait pas le choix. Il fallait lui remettre ces satanés trousseaux. Elle arriva, pâle et tremblante, et les jeta à ses pieds :

« Les voilà, tes clés !

– Mais tu es pâle, qu'est-ce qui t'arrive ?

– J'ai une atroce migraine, j'ai dû attraper froid en sortant du bain. »

Il ramassa le trousseau et vit tout de suite que manquait la petite clé du cabinet secret.

« La petite clé !

– Pour ne pas être tentée d'ouvrir la porte de la chambre secrète, je l'ai extraite du trousseau et l'ai placée dans un tiroir, mais je ne l'ai plus retrouvée.

– Va la chercher ! »

Il était tellement furieux que sa barbe en tremblait. Il avait doublé de taille et de corpulence aux yeux de sa femme. Quand il marchait, le sol bougeait. Quand il hurlait, les miroirs étaient secoués et les portes claquaient. Il était devenu le monstre qu'elle n'avait pas vu, celui qui avait tué des jeunes femmes et les avait laissées pourrir dans cette salle des tortures. Tout en courant chercher la clé, elle se dit : « Il ne faut surtout pas que cette clé se retrouve entre ses mains : le sang me trahira et je connaîtrai le sort de ses victimes. » Elle courut, tomba, se releva, poursuivie par les cris du monstre. Il parvint enfin à la rejoindre et l'attrapa par le cou :

« Tu vas tout de suite me donner cette clé, sinon je serre et tu crèves. »

Elle lui tendit la fameuse clé. Il la porta alors à son oreille et écouta ce qu'elle avait à dire :

« J'ai été utilisée, la porte s'est ouverte et ta femme et ses amies ont vu ce qu'il y a à voir. Tu n'as plus qu'à l'éliminer. Enlève-moi ce sang qui colle. »

Barbe-Bleue s'empara de la superbe et longue chevelure de sa femme et la tira vers une autre chambre. À ce moment précis, on sonna à la porte. Des autorités venaient enquêter sur la mort d'Amar. Barbe-Bleue lâcha sa prise, se recoiffa, et s'en alla parler aux deux hommes qui voulaient savoir comment les choses s'étaient passées.

« Je ne peux rien vous dire, j'étais à La Mecque quand c'est arrivé. C'était un brave homme, un domestique fidèle, mais je ne connaissais rien de sa vie en dehors du château. »

Khadija se mit à crier « Au secours ! ». Barbe-Bleue lui répondit comme s'ils jouaient ensemble :

« Oh, ma belle, le jeu est terminé, je suis occupé. Je viendrai te voir dès que ces messieurs auront fini de poser leurs questions. »

Khadija en profita pour s'échapper. Couverte d'une djellaba, elle passa devant lui en disant :

« Je vais voir ma mère qui est tombée ce matin et a besoin de moi. À tout à l'heure… »

Ainsi parvint-elle à sortir du château. Aussitôt qu'elle fut dehors, elle courut à perdre haleine. Arrivée chez sa mère, elle éclata en sanglots et raconta sa fuite. Amina avait déjà alerté ses frères et ses cousins. Durant toute la journée, elles attendirent un signe de ces cavaliers valeureux. Khadija demandait de temps en temps à sa sœur qui était postée sur la terrasse :

« Sœur Amina, ne vois-tu rien venir ?

– Non, je ne vois rien, rien que le ciel et la prairie, rien que des oiseaux et des papillons. »

Même réfugiée chez sa mère, elle n'était pas totalement à l'abri. La brute pouvait à n'importe quel moment pénétrer dans la maison et l'enlever. Tout le monde avait peur. Amina scrutait l'horizon. Khadija lui demanda de nouveau :

« Sœur Amina, ne vois-tu rien venir ?

– Non, je ne vois rien, rien que le ciel, les montagnes, les arbres, les oiseaux de proie et un immense nuage au loin…

– De quoi s'agit-il ?

– Le nuage s'approche ! C'est la poussière soulevée par une caravane. Je vois des chevaux, je crois voir nos frères et nos cousins. Ils arrivent, ils sont de plus en plus proches. Nous sommes sauvées…

– Attends un peu avant de crier victoire. »

Les trois femmes se placèrent au milieu du chemin pour arrêter les cavaliers et leur exposer les faits. C'est Amina qui prit la parole la première :

« Notre sœur est en danger de mort, son mari est un assassin, il a déjà tué des dizaines de pauvres filles, c'est ce qu'on a découvert lors de son absence, une salle en sous-sol jonchée de cadavres de femmes égorgées, découpées en morceaux, c'est un satyre, un fou très dangereux, il faut faire quelque chose, l'arrêter… »

Un des frères :

« Je n'ai jamais aimé cet homme, il a une gueule d'assassin… »

La mère :

« Mon fils, personne n'a de gueule d'assassin ! N'importe qui peut se conduire en monstre. Ce serait trop facile : tu vois, par exemple, celui qui va égorger son épouse aurait une barbe et un œil de verre… En tout cas, il faut le faire arrêter.

– Je n'ai pas confiance dans la justice de ce pays, dit un autre.

– Il faut faire prendre sa revanche soi-même… »

Khadija intervint :

« Le mieux est de l'arrêter et de le présenter à un juge… »

Amina :

« Mais il est tellement riche qu'il pourrait aussi bien acheter tous les juges du pays. Non, il faut le tuer ! »

La mère :

« Nous ne sommes pas des assassins. Ne perdons pas de temps, tendons-lui un piège. Faisons comme si nous ne savions rien de ses secrets. Je propose qu'on l'invite au mariage d'Amina. »

Amina sursauta et s'écria :

« Mais il n'est pas question que je me marie ! »

La mère :

« On va simuler, tu prendras ton cousin Houssine comme mari, même si ce n'est pas vrai ; il s'agit de piéger le monstre ; on le fait venir ici, et là on l'attache et on fait venir la police ou l'armée… »

Khadija trouva le stratagème astucieux et proposa que les cavaliers se présentent chez lui avec un grand bouquet de fleurs.

Les deux frères et les trois cousins se rendirent alors au château et demandèrent à voir Barbe-Bleue. Ce fut Bahija qui leur ouvrit. Pâle et tremblante, elle leur murmura :

« Il est de très mauvaise humeur, très contrarié, capable de tuer le premier venu, faites attention… »

Il apparut en haut de l'escalier principal, le visage défait, les habits négligés. Il ne put dissimuler sa colère :

« Que me voulez-vous ? »

Un des cousins lui dit en souriant :

« Acceptez ces fleurs en signe d'amitié et de bon voisinage ; nous sommes venus vous inviter au mariage d'Amina, votre belle-sœur ; ce sera vendredi, juste après la prière de midi.

– Oui, mais auparavant, dites à Khadija de rentrer à la maison ; nous avons eu une petite dispute comme cela arrive parfois entre époux, puis elle est partie chez sa mère ; j'ai besoin d'elle, il faut qu'elle revienne, je l'aime et je ne veux pas la perdre. »

Un des frères :

« C'est promis, après la cérémonie je m'engage à la ramener à son foyer ; il est normal qu'une épouse vive auprès de son mari.

– Non. Khadija d'abord, le mariage après. »

Il criait, s'énervait, frappait le sol de ses pieds, insultait le destin…

Le lendemain, ils ramenèrent Khadija au château. Son cousin lui avait remis un sachet plein d'une poudre aveuglante pour le cas où Barbe-Bleue s'aviserait de lui faire du mal, ainsi qu'un sifflet qu'elle utiliserait en cas de danger. Et puis Khadija détourna un instant l'attention de son mari, permettant ainsi à ses frères d'entrer au château où ils trouvèrent une cachette. Ils se tenaient prêts à intervenir aussitôt qu'ils entendraient le sifflet.

Barbe-Bleue était fatigué. Les contrariétés l'avaient abattu. Cela ne signifiait pas qu'il avait renoncé à égorger son épouse, mais il différait le moment de passer à l'action. Khadija, de son côté, comptait sur son sourire, son charme et son intelligence pour échapper au sort funeste qu'il lui réservait.

À l'évidence, il était insensible à tout cela. Il n'était plus qu'un homme rattrapé par sa folie et le besoin de verser le sang des femmes. Il tournait autour d'elle en lui promettant un avenir plein de surprises. De temps à autre, elle palpait ses poches où se trouvaient la poudre et le sifflet. Elle était prête à tout moment à appeler au secours.

Tandis qu'il fulminait, apparut le fameux chat noir. Ils se regardèrent dans les yeux, et Barbe-Bleue, qui s'apprêtait à faire ses cinq prières, prit peur. Pourtant, l'animal n'avait rien de menaçant.

Barbe-Bleue s'adressa à lui :

« Tu ne vas plus me parler, n'est-ce pas ? Tu as perdu ton pouvoir, tu n'es plus qu'un chat de gouttière passant par là… »

Le chat miaula comme pour signifier à Barbe-Bleue qu'il était fou. Il lui tourna autour et, comme par magie, il retrouva la parole :

« Pauvre type ! Tu te crois tout permis. Mais si tu t'avises de t'approcher de la dame, je te saute au cou et c'est toi qui seras égorgé. J'ai des griffes qui se transforment en petits poignards acérés et terribles. Alors tu n'as qu'une chose à faire : te rendre à la justice et prier Dieu pour qu'il soit clément avec toi en enfer, car tu iras en enfer ; ton voyage à La Mecque ne te servira à rien. D'une main tu enlèves la vie à de pauvres femmes, et de l'autre tu t'adresses à Dieu Tout-Puissant ! »

Barbe-Bleue blêmit, balbutia quelques mots, plaça son tapis de prière en direction de La Mecque, et dit : « *Allah Akbar*. » Le chat se mit alors face à lui et urina sur le tapis. Plus aucune prière n'était possible, il fallait refaire les ablutions et jeter le tapis.

Le chat sauta d'un coin à un autre, puis s'arrêta net et le regarda dans les yeux :

« Hypocrite ! Tu fais le mal absolu et tu oses t'adresser à Dieu ! Tu es fini. »

Khadija, qui avait suivi la discussion, intervint :

« Fais ce qu'il te dit.

– Toi, ne t'approche pas de moi. Cela fait longtemps

que j'aurais dû te découper en morceaux ; tu ne vaux pas mieux que les putains qui se trouvent au sous-sol. »

À l'instant où le mari allait se précipiter sur sa femme, le chat poussa un cri qui ressemblait au son d'un sifflet, se jeta sur sa gorge, enfonçant ses griffes dans la peau, l'empêchant de bouger tandis que le sang s'écoulait de son cou.

Les frères arrivèrent, chacun muni d'une épée. L'un d'eux attacha les pieds et les mains de Barbe-Bleue, puis ils lui mirent un sac de jute sur la tête et l'emmenèrent hors du château. Il fut directement conduit chez le juge, qui avait déjà été averti par les cousins. Le chat les suivit, comme si c'était son affaire.

Barbe-Bleue fut jeté en prison en attendant son procès. Toute la ville était au courant, des familles se réunirent autour du palais de justice en déroulant des banderoles sur lesquelles on lisait : « Justice pour nos filles » ; « Barbe-Bleue en enfer » ; « Pas de corruption, justice avant tout ».

Des huissiers vinrent forcer la porte du cabinet secret et découvrirent l'ampleur des massacres. Ils firent leur rapport au plus vite. Le palais avait été mis au courant. Ordre fut donné pour que le procès eût lieu dans les plus brefs délais, et surtout pour que la justice fût libre et transparente.

Le procès était public. Des gens affluèrent de partout. Certains, mus par une curiosité malsaine. Barbe-Bleue refusa de répondre. Un de ses avocats fit cette déclaration :

« C'est un homme condamné d'avance ; ses crimes sont suffisamment horribles pour qu'on ne s'attarde pas sur les détails. Mais que la justice agisse dans la sérénité ; je plaiderai la maladie mentale. Cet homme devrait être soigné… »

Des surveillants de la prison coupèrent la barbe du monstre. Il apparut avec un visage ravagé par la vérole. Il était hideux et sinistre. Ses petits yeux étaient de plus en plus profonds. Le jour du verdict, il dit n'avoir aucun regret. Il fut condamné à la peine capitale et exécuté le lendemain même.

Sa femme hérita de sa grande fortune. Elle resta vivre dans la maison familiale avec sa mère et sa sœur, fit venir auprès d'elle Bahija, transforma le château en école et dédia sa vie à des œuvres caritatives. Amina se maria avec Noureddine, qui avait un frère jumeau. Celui-ci tomba amoureux de Khadija, qu'il épousa. Et comme le dit la tradition, ils furent heureux et eurent beaucoup d'enfants.

Quant au chat, il partit un jour du château, suivant un cirque où il fit la connaissance d'une chatte experte en acrobatie, trapéziste le jour, funambule le soir.

4
Le Chat botté

Cette histoire se passe dans un pays où l'on n'aime pas beaucoup les animaux, les chiens en particulier. Il est même recommandé de les chasser à coups de bâton ou de grosses pierres. Les ânes, parce que l'on a décidé une fois pour toutes qu'ils sont stupides, jouissent d'un statut meilleur : on a pitié d'eux et de leur condition, on les laisse en paix, et même quand on les surcharge, on les plaint tout en leur donnant quelques petits coups sur la croupe pour qu'ils avancent plus vite. On lance « *Erra !* » pour « On y va ! », « *Echa !* » pour « Attention ! », « *Wqaff* » pour « Stop ».

Les chats sont plus malins. Indépendants, fiers, sournois, ils passent et ne demandent rien. Ils narguent ceux qui cherchent à les maîtriser ou à les posséder. À eux aussi on s'adresse par des injonctions telles que « *Esseb* » pour dire « Tu verras si je t'attrape », « *Aji* » pour « Viens », et « *Seir* » pour « Va-t'en, bâtard ».

Cependant Daouiya, un chat aristocrate qui avait élu domicile chez un pauvre meunier, avait plus d'un tour dans son sac. Observateur de la vie des uns et des autres, il passait son temps à méditer près du four à pain. Son maître l'avait appelé Daouiya, ce qui veut dire

« lumineux », parce qu'il était tout noir. Dans ce pays, on aime bien conjurer le sort en usant de paradoxes.

Daouiya était un chat végétarien. Il avait horreur des souris, même s'il savait les attraper avec dextérité : toujours il les abandonnait au chat des voisins, un vulgaire chat de gouttière, sans pedigree, sans nom et sans éducation. Un chat triste, mais plutôt content de sa condition.

Le meunier avait trois enfants. C'était un brave homme qui avait passé toute sa vie à travailler sans amasser de fortune, un homme d'une honnêteté exagérée, et qui détestait le mensonge. Un jour Hassan, son fils aîné, lui dit :

« Si tu n'apprends pas à mentir un peu, tu resteras toute ta vie un mauvais commerçant. »

Le chat, qui suivait la discussion, poussa un profond soupir en levant les yeux au ciel. Car Daouiya comprenait le langage des hommes, et il lui arrivait parfois d'émettre quelques suggestions dans un arabe approximatif. Il était plus doué en latin, car dans une autre vie il avait vécu à la cour du Vatican, où le pape de l'époque l'aimait bien. C'est en tout cas ce qu'il racontait à ceux qui s'étonnaient de l'entendre baragouiner en cette langue.

Le meunier mourut de fatigue et de vieillesse. Il laissa peu de choses à ses enfants. Hassan hérita du moulin. Fadel, le cadet, prit l'âne et créa une société de transport. Restait Daouiya. Ce fut Rachid qui le récupéra, non sans protester. Le chat sauta dans ses bras et lui caressa la joue puis se réfugia à ses pieds. Rachid disait :

« Je n'ai pas de chance, l'un a le moulin, l'autre

l'âne qu'il pourra faire travailler, et moi, que pourrai-je faire d'un chat ? Bien sûr, je pourrais le montrer dans un cirque, mais il y a longtemps que le cirque Alar ne passe plus par notre ville ; je pourrais aussi le dresser pour en faire un chasseur de souris et de rats, mais de ce point de vue, c'est vraiment un cas désespéré : il est résolument végétarien ; enfin, si je décidais de le manger même si je n'aime pas sa chair, d'utiliser sa peau pour me couvrir l'hiver, après cela je n'aurais plus rien. Je n'ai pas de chance. »

D'une voix douce, Daouiya lui dit alors :

« Maître, oui, à présent tu es mon maître et je suis à ta disposition. Je te suggère de me faire confiance et tu verras, je suis capable de te rendre des services extraordinaires : par exemple, je pourrai aller jusqu'à attraper et manger les souris et les rats, je ferai un effort et ne reprendrai mon régime végétarien que lorsque tout sera arrangé pour toi. Pour l'heure, il suffit que tu me donnes un sac et que tu me trouves des bottes pour que je puisse aller dans les bois chasser le lapin. Ensuite, tu verras. Tu ne le regretteras pas. »

Rachid le prit sur ses genoux et lui dit :

« Mais où vais-je trouver des bottes ?

– Chez nos voisins. Ils achètent des bottes à leurs enfants tous les ans ; toujours des marques. Dès qu'elles sont démodées, ils les jettent. Je sais où elles sont. Je me moque des marques ; le principal, c'est qu'elles soient solides et, surtout, qu'elles ne soient pas fabriquées en Chine.

– Pourquoi ?

– Les Chinois utilisent des matières de mauvaise qualité. Vous, les humains, vous ne le savez pas, ou alors vous êtes naïfs ; nous, nous le savons parce que la colle utilisée donne la migraine puis la nausée, on dit même qu'elle provoque le cancer de la peau ; alors là, je me méfie. »

Rachid lui procura un sac se fermant avec un cordon puis des bottes récupérées dans la poubelle des voisins. Il les nettoya, les ajusta, les astiqua et les confia enfin à Daouiya, qui les chaussa et s'en trouva bien. Ses pattes étant fines, Rachid avait bourré les bottes avec du foin et de la laine.

Tôt le matin, le chat partit dans la forêt en chantant une jolie mélodie. Il se cacha dans un endroit par où passaient les lapins. Il disposa le sac de sorte qu'il fonctionnât comme un piège. Très vite, il attrapa un gros lapin. Un deuxième puis un troisième rejoignirent le premier. Daouiya se dit alors que c'en était assez pour la journée et, tirant de toutes ses forces le sac contenant le gibier, il se dirigea d'un pas décidé vers le palais du gouverneur, un prince cousin du roi.

Il fut arrêté à l'entrée du palais et entendit un « *Esseb* » assez méchant. Alors, Daouiya, à l'intention des gardiens, sortit le grand jeu et s'adressa à eux en arabe classique tel qu'il est parlé dans les pays du Golfe. Il imitait à la perfection l'accent des émirs de ces régions lointaines, ce qui non seulement impressionna les gardiens, mais les rendit plus accueillants et même assez obséquieux :

« Maître chat, mais tu es extraordinaire, que viens-tu faire ici ? Que pouvons-nous faire pour te rendre service ?

– Me permettre de rencontrer Son Excellence, le gouverneur de Sa Majesté. J'ai pour lui un cadeau de la part de mon seigneur Rachid, un homme remarquable. D'après son arbre généalogique, il est chérif, descendant du Prophète, que les saluts et les salutations soient sur lui. »

Les gardiens se concertèrent, alertèrent leur chef puis levèrent la barrière pour laisser passer le chat.

« *Thank you ! Grazie ! Choukran !* Merci ! »

Un autre garde se précipita pour l'accompagner jusqu'au bureau du gouverneur, qui fut prévenu de cette visite inattendue.

« Bienvenue ! Tu as de la chance, mes enfants adorent les chats et j'ai fait un effort pour en garder quelques-uns dans ce palais ; en revanche, pas trace de chien ici. C'est un animal cousin de Satan et du cochon. Notre religion n'aime pas trop ces animaux. »

Daouiya voulut rappeler que Dieu avait endormi les sept amis dans la Caverne et avait installé un chien à la porte. Lui aussi avait dormi trois cent cinquante-cinq ans ! Mais le chat se reprit en se disant que ce n'était pas la peine de contrarier le gouverneur, à qui il présenta le sac avec les trois lapins :

« Ce gibier a été chassé par Rachid, mon maître, qui tient à vous offrir cette prise exceptionnelle en signe de reconnaissance et de fidélité au trône. »

Le gouverneur le remercia et lui dit de transmettre à son maître ses félicitations chaleureuses.

Le chat fit une révérence, ce qui fit sourire le gouverneur qui était ce jour-là accompagné de son aînée, Yasmine, une jeune fille particulièrement belle. Elle se pencha et caressa Daouiya, qui miaula avec une certaine grâce, ce qui acheva de mettre la princesse de bonne humeur : la veille, son fiancé l'avait délaissée pour une fille moins belle qu'elle, mais plus riche.

Avant de se retirer, Daouiya ne put s'empêcher de

rappeler que le chien n'est pas rejeté dans notre religion, en tout cas pas comme le porc qui se nourrit de n'importe quoi. Le gouverneur lui donna raison et lui demanda de remercier son maître.

En rentrant à la maison, Daouiya trouva Rachid triste et déprimé. Il tourna autour de lui et lui lécha les pieds, ce qui arracha un sourire à ce dernier. Daouiya ne raconta rien de ce qui s'était passé en cette journée et fit mine de s'endormir.

Le lendemain, il se rendit au moulin pour chasser les souris, ce qui lui permit de constater que les affaires du frère aîné étaient florissantes. Après avoir joué tant qu'il pouvait avec les souris, il les mordit à la nuque, les plaça dans un chiffon et s'en alla les présenter à son maître.

« Je les mangerai si tu me le demandes. »

Rachid fit non de la tête et se préoccupa du dîner.

Quelques jours plus tard, Daouiya chaussa ses bottes, prit le sac et partit de l'autre côté de la forêt. Là, il y avait beaucoup de perdrix et de canards. Il se mit en position et attendit l'arrivée des vrais chasseurs : il lui suffirait de recueillir les perdrix dans leur fuite. Ce qu'il fit une bonne partie de la journée. Le sac n'étant pas assez grand, il se contenta de quatre perdrix qu'il assomma pour les empêcher de s'échapper.

Comme la veille, il se rendit au palais du gouverneur. Les gardes le reconnurent et lui firent bon accueil. Sur le chemin, il rencontra dans les allées du jardin la belle Yasmine qui lisait un livre tout en essuyant quelques larmes. Le chat s'arrêta, fit la révérence, et Yasmine éclata de rire :

« Mais qui t'envoie ? Dès que je te vois, je me sens

mieux ; il va falloir venir souvent ou bien je demanderai à mon père de te prendre à notre service. »

Daouiya, fidèle à son maître, baissa la tête. La princesse reprit :

« Que transportes-tu, aujourd'hui ?

– Quelques superbes perdrix. Mon maître les a chassées tôt ce matin et m'a chargé de les offrir à Son Excellence, votre père. »

Le chat regarda de biais Yasmine et se dit combien elle serait parfaite pour Rachid. Mais on n'en était pas encore là. Le gouverneur, très occupé, le fit recevoir par son adjoint, Yacoub, un homme très maigre, aux yeux pleins de roublardise :

« Chat, avant de t'en aller, viens me débarrasser de quelques rats qui m'empêchent de dormir… »

Daouiya obéit à contrecœur. Bien sûr, il avait horreur de cet animal, mais ce n'était pas le moment de faire le difficile, le destin de son maître risquerait d'en pâtir. Il s'exécuta donc rapidement et mit fin à une réunion des rats du palais. Yacoub, impressionné, lui demanda de s'occuper des souris. Daouiya chassa aussitôt les petites bêtes et les fit fuir hors du palais.

En partant, il s'arrêta devant Yasmine et lui lécha les bottines en signe de reconnaissance. Elle lui dit :

« Pourquoi ne viendrais-tu pas vendredi nager avec nous dans le lac des Trois Bonheurs ? Comme cela, nous ferons mieux connaissance. »

Daouiya fit sa révérence, ce qui signifiait qu'il acceptait, et il s'en alla en courant.

Il était tout excité, allait et venait dans la maison, montait sur les genoux de Rachid puis sautait de l'autre côté. Il aurait voulu dire quelque chose à son maître, mais ce matin-là il avait perdu la faculté de parler. Aucun mot dans aucune langue ne sortait de sa bouche. Alors, il se mit à miauler comme un fou. Il lui fallait manger du miel et boire du lait de brebis : c'était ce qu'il y avait de mieux pour récupérer les langues perdues. Or, seul le frère aîné possédait du bon miel et du lait de brebis frais.

Daouiya se présenta donc dans la grande maison, se glissa entre les pots de nourriture jusqu'à trouver la jarre de miel pur. Heureusement, il y avait un bol à peine entamé qu'il lécha sans rien laisser. Il y avait aussi sur la table du petit déjeuner le bol de lait du petit, qui ne l'avait même pas touché.

Les premiers mots qui vinrent à Daouiya étaient des jurons. Le chat en eut honte. Il se tint coi et disparut en courant. Arrivé à la maison, il annonça à Rachid qu'ils iraient se baigner dans le lac le surlendemain, qui tombait un vendredi. Rachid lui apprit alors qu'il ne savait pas nager.

« Tant mieux, répondit curieusement Daouiya.

– Tu trouves cela drôle ?

– D'une certaine façon, oui : un homme de ta prestance et de ton importance ne sachant pas nager pourrait être exhibé dans un cirque si tu n'étais chérif, descendant de notre Prophète bien-aimé. Mais peu importe, j'ai un plan, un merveilleux plan pour nous sortir de notre condition de pauvres. Il faut juste que tu suives mes indications. »

Rachid soupçonna le pire, mais le chat était si intelligent et si malin qu'il décida de lui faire confiance.

Le vendredi matin, le chat et son maître prirent le chemin du lac. Il faisait beau, le soleil était doux, l'air frais, et l'eau calme et lisse comme un miroir. Daouiya savait que le convoi du gouverneur et de sa fille passerait par là vers la mi-journée. Ils s'installèrent au soleil et attendirent. Dès que le chat vit au loin la voiture officielle, il intima à son maître de se déshabiller et le poussa dans l'eau. Tant qu'il avait pied, Rachid ne protesta pas. À l'approche du convoi, le chat se mit à miauler de plus en plus fort tandis que son maître agitait les bras et criait au secours. La voiture du gouverneur s'arrêta, le chat se précipita vers lui, éploré, faisant en sorte que l'on vît des larmes sur ses joues. Puis il expliqua dans une langue inconnue qu'il fallait sauver l'homme qui se noyait. Le gouverneur, qui était accompagné de sa fille, donna l'ordre d'aller vite sortir de l'eau le maître du chat. À ce moment, Daouiya ajouta dans un arabe parfait :

« Excellence, Excellence ! On a volé ses habits, des voyous sont passés et ont tout pris ! »

Le gouverneur demanda à l'un des gardes de se rendre aussitôt au palais et d'en rapporter une de ses plus belles djellabas. Celui-ci s'élança comme une flèche et, quelques minutes plus tard, revint avec plusieurs habits filés de soie ou en cachemire. Pendant ce temps, le chat s'était amusé à tourner autour de la princesse pour la faire rire.

Rachid, après avoir revêtu les habits de lumière, se présenta au gouverneur en faisant une révérence. Ce dernier le fit redresser et dit :

« Mon ami, réservez votre révérence à Sa Majesté le roi, que Dieu le garde et le glorifie. Je vous connais. Je vous remercie pour les gibiers que vous avez eu la gentillesse de me faire remettre. »

La princesse, qui était charmée par cet homme, ajouta :

« Vous avez un chat extraordinaire. Il parle plusieurs langues. On se croirait dans la cour du roi Salomon ou de son père, le roi David, qui comprenaient le langage des animaux. »

Le chat intervint :

« Mais, Altesse, cela se passait il y a bien longtemps !

– Je sais. »

Rachid sentit battre son cœur à grande vitesse, il avait l'impression d'être tout léger et de voler au-dessus des arbres et du lac. Sa tête lui tournait, ses mains tremblaient, et sa langue était figée dans sa bouche. Ses yeux ne quittaient pas la princesse, plongée dans un état étrange et merveilleux en même temps.

Tandis que les deux jeunes gens se regardaient sans pouvoir prononcer un mot, le chat divertissait le gouverneur en lui racontant une histoire abracadabrante d'une guerre possible entre les chimpanzés du Nord et ceux du Sud. Il lui parlait d'une attaque imminente de mâles à la recherche de femelles qui se trouveraient au sud du pays. Le chat semblait sûr de lui, et le gouverneur n'en fut que plus épaté.

Coup de foudre ! Rachid et Yasmina étaient tombés amoureux l'un de l'autre. Daouiya les observait de biais tout en conversant avec le gouverneur. Lorsque celui-ci invita le jeune homme à déjeuner au palais, le chat prit les devants et se mit à courir. Qui aurait pu dire s'il courait de joie ou s'il manigançait un nouveau plan au service de son maître ?

Il s'arrêta devant des paysans qui travaillaient la terre et leur dit :

« Au passage de la caravane du gouverneur, il faudra saluer mon maître comme s'il était le propriétaire de cette terre. Il s'agit juste de faire croire à tous ces gens que mon maître possède cette partie du territoire.

– Sinon ? dit un des paysans.

– Sinon, vous aurez des problèmes, de gros problèmes. »

Le paysan leva un bâton, faisant mine de frapper le chat, mais celui-ci lui jeta un tel regard que la main de l'homme retomba comme si une force invisible s'y était employée.

« D'accord, nous dirons que cette terre lui appartient ! »

Au passage du convoi, tous les paysans se courbèrent en signe de respect et d'allégeance, ce qui mit Rachid mal à l'aise. Le gouverneur comprit que ces terres appartenaient au jeune homme. Il le félicita :

« Vous avez beaucoup de biens !

– Je n'ai aucun mérite, mon père m'a laissé quelques hectares par-ci par-là. Je m'en occupe du mieux que je peux. »

La princesse ne le quittait pas des yeux. Le gouverneur se rendit compte qu'il se passait quelque chose : il connaissait bien sa fille. Et très vite, il comprit qu'un grand amour venait de naître.

Il en fut ravi. Le jeune homme était de bonne famille, riche et généreux, beau et intelligent. Il se dit que cette rencontre était le signe annonciateur d'une vie nouvelle, car depuis le décès tragique de sa femme, il ne savait comment redonner le sourire à sa fille. Or, non seulement Yasmine était en âge de se marier, mais le père avait hâte d'avoir des petits-enfants car son fils aîné était stérile, ce qui le chagrinait beaucoup.

Le chat poursuivait son chemin, précédant de quelque distance le convoi qui se dirigeait vers le palais. Il était content de l'efficacité de ses ruses et cherchait encore d'autres façons de satisfaire son maître. Il se trouva bientôt devant un beau château et se renseigna auprès des voisins.

« Ce château, il vaut mieux l'éviter, lui dit un vieil homme qui était assis sur un banc en pierre et prenait le soleil.

– Il est beau, pourtant !

– Oui, mais il appartient à quelqu'un dont il vaut mieux ne pas faire la connaissance.

– Un voyou ? Un démon ? Un criminel ? Un voleur ?

– Oh, tout ça à la fois, il appartient à présent à un ogre. Jadis, c'était le château de la famille Bel Hadj, l'une des plus grandes familles du pays, mais elle a été frappée par plusieurs malheurs : à la mort du patriarche, les enfants se sont battus à cause de l'héritage ; et ils se sont battus avec des armes, tant et si bien qu'ils sont tous morts. Leur mère a perdu la raison et erre par les rues, une pauvre femme sans tête, sans espoir. Le château était hanté. Un soir un ogre est arrivé, il a convoqué tous les fantômes et les a réduits en cendres, les a versées dans la rivière et s'est installé là. Personne ne s'approche de ce bâtiment. De temps à autre, on aperçoit des gens bizarres, habillés en robes rouges, tourner autour. Mais personne n'y entre ; l'ogre y règne en maître.

– Quelle histoire ! »

Le chat, loin d'être effrayé par ce récit, s'en trouva tout excité et courut vers le château. Il y entra par une petite fenêtre. Il n'y avait personne. C'était sombre, les murs suintaient l'humidité. Partout des toiles d'araignée, des chauves-souris et quelques autres animaux de lui inconnus. Daouiya se fit tout petit. Soudain, il entendit des pas résonner. L'ogre était là. Immense. Gris. Poilu. De tout petits yeux enfoncés. Il était mi-homme mi-animal. Le chat se fit plus petit encore. Quand l'ogre se pencha pour le ramasser, il enfouit sa tête dans sa poitrine, comme s'il dormait, et se laissa faire. L'ogre le posa sur son pouce et lui dit :

« Tu es bien téméraire ! Tu es le premier chat qui a osé franchir le seuil du château. Et puis c'est la première fois que je vois un chat portant des bottes si belles. Que cherches-tu ?

– Mon père m'a toujours dit que la curiosité est un vilain défaut. Eh bien, oui, je suis curieux.

– Que veux-tu savoir ?

– Je peux ? Je peux te poser des questions, tu promets de ne pas m'écraser avec ta patte arrière ?

– Mais tu es grand comme une puce, je ne vais tout de même pas m'attaquer à une puce !

– On m'a dit que cette maison était hantée, est-ce vrai ?

– Oh oui ! Autrefois, il y avait tant de fantômes que la nuit le château se transformait en souk ou en cour des miracles. Ils allaient et venaient, buvaient du vin, chantaient, dansaient, bref, ils m'empêchaient de dormir. Alors, un soir, je les ai tous réunis et je les ai découpés en morceaux, puis j'ai jeté le tout dans le feu. Après, j'ai eu la paix. Mais il m'arrive de les regretter, car ils mettaient de l'ambiance dans ce grand château si vide et si triste. Alors je dois trouver d'autres occupations pour passer le temps.

– On m'a dit aussi que tu pouvais te transformer

en n'importe quel animal, en lion, en rhinocéros, en éléphant…

– Oui, sans problème. Il suffit que j'avale trois pastèques et une centaine de figues de barbarie. L'indigestion a un drôle d'effet sur moi, elle me donne le pouvoir de me transformer. »

L'ogre se tourna et puisa dans une réserve où il y avait de tout, aussi bien les fruits dont il avait besoin pour se transformer que des scies, des marteaux, des flèches empoisonnées, des poupées découpées en morceaux, des têtes de singe, des serpents dans des bocaux, des queues de taureau…

Quelques minutes plus tard, le chat se trouva face à un lion qui lui parut immense. Daouiya grimpa sur des étagères où étaient posés des crânes humains. Il s'y réfugia en attendant que l'ogre redevienne ogre.

« J'ai eu peur, je sais que les lions et les chats ne s'entendent pas du tout. Les lions ne négocient jamais, ils nous avalent sans discuter. Ouf ! Je préfère que tu te transformes en un animal plus modeste, plus petit, un âne ou un lapin…

– Tu te moques de moi ? Un âne ? Mais sais-tu que l'âne est l'animal le plus stupide de la terre ?

– Je ne suis pas d'accord avec toi. Mon cousin, ou plutôt le frère de mon maître, a hérité d'un âne qui le fait vivre très bien.

– Justement, on en fait ce qu'on veut, il est bête, mais bête à pleurer. Non, quant au lapin, il y en a tellement que ça ne vaut pas la peine. Non, demande-moi quelque chose de plus inattendu.

– Un rat !

– Quoi ? Tu as dit "rat" ? Un rat, une taupe, c'est

horrible, ça vit dans les égouts, c'est si laid, si dégoûtant…

– Un rat ou une souris… je pense que tu n'en es pas capable, on me l'a dit…

– Pas capable, moi, l'ogre le plus redouté du royaume, celui qui a fait fuir les brigands, les sorciers, les charlatans, les imposteurs, les salauds… Sais-tu qu'on m'appelle le Terminator… l'Exterminator… d'ailleurs mon surnom est Tor. Je suis tout ce qui se termine par cette syllabe. »

Le chat, impressionné, insista pourtant pour qu'il se transforme en rat ou en souris.

« J'aimerais mieux la souris, car je pense que ce sera vraiment difficile. »

Sentant que le chat cherchait à le provoquer, l'ogre dit :

« Pour ça, il faut que je boive du sang de la hyène, car seul son sang me permet de me changer en quelque chose de minuscule. Heureusement qu'il m'en reste un peu, quelques litres que j'ai mis de côté, au cas où. Tu vas voir qu'il n'est pas bien difficile pour moi de passer du lion à la souris. Mais attention, il faudra être gentil avec la petite souris !

– Ne t'en fais pas, cher Tor ! »

Après avoir bu deux litres du liquide précieux, Tor se transforma en une souris grise parsemée de taches blanches. Elle se mit à courir dans le salon, affolée, parvenant à peine à pousser quelques petits cris stridents. Le chat se jeta sur elle, la fit rouler dans tous les sens, la prit entre ses pattes, la balança d'un coin à un autre, la rattrapant avec agilité. Il s'amusait. Quand il entendit les carrosses arriver, il ferma les yeux et avala la souris. Il eut du mal à la digérer, eut des douleurs partout dans le corps, mais il était si content de pouvoir offrir ce lieu magnifique à son maître. Car Tor étant mis hors d'état de nuire pour quelque temps, le château pouvait devenir pour le moment la propriété de Rachid.

Lorsque le gouverneur s'approcha du château, il fut surpris par sa beauté architecturale. Il en avait entendu parler ; à en croire certaines légendes, l'endroit serait hanté et occupé par un ogre venu des steppes russes. D'autres légendes prétendaient que l'ogre était une femme devenue homme, et qu'elle avait trouvé refuge là après qu'une chauve-souris lui avait suggéré, au creux de l'oreille, de la suivre au « palais de tous les plaisirs et de toutes les horreurs ».

Le chat dit au gouverneur :

« Excellence, donnez-vous la peine d'entrer dans le château de mon maître. Venez voir, de vos propres yeux, ce monde extraordinaire, magique, fou, et en même temps si beau. C'est encore un bien que son père lui a laissé, il ne savait comment l'occuper ; à présent que Rachid est entré dans votre estime et qu'il fait partie de vos amis, accepteriez-vous de lui donner pour épouse la belle, la si belle et unique Yasmine ? »

Rachid, qui entendait Daouiya, fut terriblement gêné. Il se tourna vers Yasmine, qui riait de joie et de bonheur.

Le gouverneur prit sa fille par le bras et entra visiter le château.

Il fut ébloui. Rachid, qui le suivait, avait les yeux baissés et ne disait rien.

« Quelle merveille ! Tout ça est à vous ? »

Ce fut le chat qui répondit :

« Oui, Excellence ! »

Il y avait là des tables dressées couvertes des mets les plus fins venus de toutes les régions du monde, des jus de tous les fruits. Pas de vin. Déconseillé par la religion. Les salons étaient tendus de soieries importées d'Inde et de Chine. Les lustres venaient tous de Venise. Les tapis avaient été tissés en Perse. Un parfum à la fois subtil et enivrant planait dans chaque pièce. On entendait de la musique sans savoir d'où elle venait.

Rachid invita le gouverneur et Yasmine à s'installer autour de la plus belle table. Ils n'avaient qu'à se servir. Ils mangèrent et burent et furent heureux.

Le chat tournait en rond, ne sachant plus quoi inventer pour faire plus plaisir encore à son maître. Soudain, il eut une idée. « Et si j'enlevais mes bottes qui m'ont fait faire des merveilles et redevenais un simple chat, un chat quelconque, sans pouvoir magique ? Oui, cela me reposerait. Mais mon maître, que deviendrait-il ? »

Tandis qu'il se disait cela, il entendit le gouverneur prononcer sur un ton solennel ces paroles :

« Il ne tiendra qu'à vous, cher ami, que nos deux familles s'allient par l'un des plus beaux mariages, celui de la fortune et de la beauté, celui de la bonté et de la lumière, celui de la générosité et de la grâce… Voulez-vous devenir mon gendre ? »

Le chat fit plusieurs culbutes et se mit à miauler comme un chanteur de blues.

Rachid, ému, fit quelques révérences et saisit la main tendue de Yasmine : il la baisa. Le gouverneur le serra dans ses bras, et la date du mariage fut fixée sur-le-champ.

Lorsque vint la nuit, le gouverneur et sa fille s'en allèrent, laissant Rachid et le chat dans ce château où tout brillait. Mais dès que la porte fut fermée, toutes les lumières s'éteignirent et le château retrouva aussitôt son aspect initial, avec ses toiles d'araignée et ses chauves-souris. Un vent soudain brisa quelques vitres, on entendit des bruits non identifiés et la peur s'installa. Rachid prit le chat dans ses bras et s'apprêtait à sortir de ce lieu quand une force invisible le cloua sur place.

Une voix grave lui dit :

« La sortie du hammam est plus difficile que l'entrée. »

Il se souvint de ce dicton qu'utilisait souvent son père quand il voulait insister sur la valeur de l'effort et le rejet de la facilité. Rachid comprit au même instant que tout ce qu'il avait cru à lui, tout ce qui s'était passé de bon depuis quelques jours n'était pas le fruit de son travail et de sa volonté, mais de la complaisance d'un chat doué de parole et de pouvoir magique.

Il lâcha le chat et retroussa ses manches, bien décidé à se sortir de là en se battant contre l'ogre s'il le fallait. Le chat, qui avait tout compris lui aussi, se mit à miauler en léchant ses belles bottes. Rachid se précipita sur lui et lui retira les chaussures magiques qui avaient été à l'origine de tant de bouleversements.

Rachid et le chat se tenaient là, face à face. L'un réfléchissait, l'autre l'observait sans rien faire. Daouiya était redevenu un chat sans pouvoir particulier, presque un étranger, un chat de gouttière. Ils tentèrent de profiter de la nuit pour sortir du château. Mais l'ogre Tor réapparut à temps pour les en empêcher en se mettant en travers de la porte.

« Vous échapper ? Pas possible, c'est moi qui décide. »

Rachid s'avança pourtant, suivi par le chat, et

repoussa l'ogre qui éclata d'un rire grossier et nerveux. La porte s'entrouvrit un peu, ce qui permit au chat de se faufiler. C'est alors que Rachid, se souvenant que les ogres étaient sensibles des orteils, donna un grand coup sur son petit doigt de pied, ce qui fit tomber le colosse et leur permit de se sauver.

Une fois dehors, ils allaient se mettre à courir quand un cavalier vint vers eux et leur dit :

« Son Excellence, le gouverneur, vous invite à souper ce soir. Il vous attend. »

Rachid le remercia, prit Daouiya dans ses bras, mais le chat ne comprenait plus rien à ce qui se passait. Alors il le lâcha et décida de se rendre au palais du gouverneur. Il se dit qu'il était temps de révéler la vérité et que si l'amour de la princesse était sincère, il résisterait à cette épreuve.

Rachid portait encore les habits que le gouverneur lui avait donnés après qu'il était sorti du lac où il avait failli se noyer. Il pensa qu'il pouvait encore faire illusion. La réception fut simple et amicale. Le chat partit dans les cuisines. Rachid demanda bientôt à son hôte s'il pouvait lui parler en privé. Ils s'isolèrent alors dans un bureau, et là, Rachid confessa les stratagèmes du chat. Il acheva son intervention par ces mots :

« Excellence, vous savez tout à présent, je ne veux plus vous mentir ni me faire passer pour ce que je ne suis pas. J'ai eu un coup de foudre pour votre fille ; mon amour est sincère, mais je comprendrais parfaitement que vous refusiez de me donner sa main. Je me propose de travailler, de gagner honnêtement ma vie afin de fonder une famille sur des bases saines et vraies. »

Le gouverneur lui avoua alors qu'il avait percé à jour

les agissements du chat depuis le début. Il ajouta qu'il avait un travail à lui proposer, un peu dur, certes, mais au moins il gagnerait sa vie à la sueur de son front.

Durant plus d'une année, Rachid travailla dans les champs d'un propriétaire terrien sévère et même cruel. Mais grâce à l'effort qu'il devait fournir tous les jours pour gagner sa vie, Rachid fit prendre un nouveau tour à son destin. Bien que demeurant amoureux de Yasmine, il ne s'approchait jamais du palais du gouverneur, espérant la retrouver une fois que sa condition se serait améliorée. Il lui écrivait cependant de jolies lettres, sans jamais recevoir de réponse. Cela ne le décourageait pourtant pas, et il persévérait dans son nouvel être et dans son espérance.

Le propriétaire le prit finalement en sympathie et lui fit monter les échelons jusqu'à le nommer contremaître et comptable de l'exploitation.

Daouiya, quant à lui, traînait dans les rues et se faisait attaquer par des chats plus jeunes et plus agressifs que lui. Il finit sa vie dans l'hospice du village, où une vieille Anglaise convertie à l'islam s'occupait des animaux maltraités ou abandonnés.

Rachid fut un jour convoqué par le gouverneur qui l'informa que sa fille l'avait attendu. Ils se marièrent et adoptèrent plusieurs chats.

5

Les Fées

On n'a jamais su de quoi était mort l'artisan Hamid, époux de la redoutable Khansa et père de Jamila et Kenza. Ni maladie ni accident, il avait disparu un beau matin dans son sommeil. Il ne s'était pas réveillé, lui qui ne manquait jamais la prière de l'aube. Sa femme avait tellement crié en le découvrant que tous les voisins avaient accouru. Cela se passait dans un village haut perché dans la montagne, difficile d'accès et connu pour les histoires étranges qui s'y déroulaient.

Jamila ressemblait tellement à sa mère que certains les confondaient. Corpulentes, le visage anguleux, le regard dur : toutes les deux dégageaient quelque chose de mauvais que personne n'aurait su, pourtant, caractériser. C'était ainsi, elles n'étaient ni bonnes ni belles. Elles faisaient peur aux enfants et aux inconnus qui les rencontraient. Ni l'une ni l'autre n'avait conscience de cet aspect de leur être. Elles se croyaient au contraire irrésistibles, elles étaient bien assurées dans leurs certitudes.

À l'exact opposé de Kenza. Une belle jeune fille, fine et discrète. Elle, elle ressemblait à son père et, comme lui, elle avait l'âme artiste et l'humeur rêveuse. Elle aimait les gens et venait à leur secours quand cela était nécessaire. La vie à la montagne n'était pourtant pas facile. Nul confort, un ciel jamais clément. Rien. L'hiver, le froid et la neige retenaient les habitants chez eux ; l'été, c'était souvent la canicule et le manque d'eau qui s'en chargeaient.

Non seulement Kenza ressemblait physiquement à son père, mais elle avait reçu de lui son excellent caractère, sa bonté naturelle et son talent d'artisan. Les deux sœurs ne s'entendaient pas bien. Il faut dire que la mère s'y employait du mieux qu'elle pouvait : autant elle favorisait Jamila, son double, autant elle maltraitait Kenza, qui lui rappelait par trop le mari qu'elle n'avait jamais aimé et qu'elle avait peut-être même empoisonné.

On disait : « Le pauvre a été rappelé à Dieu alors qu'il dormait ! » Personne n'osait suggérer que sa mort n'avait pas été naturelle. Pourtant, quelque soupçon avait germé dans l'esprit de Kenza et de son oncle Taïeb, qui ne parvenait pas à surmonter la disparition de ce frère qu'il aimait tant.

La veuve considérait que sa fille cadette était sa domestique. Elle lui imposait des corvées, comme par exemple de nettoyer le sol, de laver le linge, d'aller chercher l'eau à la source qui se trouvait à une demi-heure de marche. En outre, elle la faisait manger toute seule dans un coin de la cuisine et lui servait les restes du repas qu'elle prenait avec Jamila. Kenza souffrait de cette injustice et ne savait trop quoi faire pour y échapper.

Où aller ? La montagne était une prison. Les voisins craignaient Khansa, qui était capable de leur pourrir une vie déjà très dure. Ils n'osaient donc rien dire. Ils voyaient bien combien la pauvre Kenza était maltraitée, mais même quand ils la plaignaient, ils restaient discrets.

Khansa avait hérité de son père, qui était le cheikh du village, et venait de s'assurer de la petite fortune de son défunt mari. Elle avait ainsi les moyens d'inviter des lecteurs du Coran, de bien les nourrir et de leur demander de prier pour elle et sa fille bien-aimée. Quand quelqu'un lui faisait remarquer qu'elle avait une autre fille, elle répondait : « Ah, l'autre, c'est la fille de son père ! »

Un jour qu'il faisait très froid, la mère envoya Kenza chercher de l'eau à la source. Le chemin était plein de boue. Elle partit avec deux cruches, la tête baissée, les larmes coulant sur ses joues. Elle se disait que Dieu l'avait oubliée et qu'Il ne la vengeait pas. Sa foi en Dieu commençait à se fissurer. Tant d'injustice et d'acharnement la rendait plus qu'amère.

Lorsqu'elle arriva à la source, l'eau était gelée. Elle s'était déplacée pour rien, et redoutait maintenant ce que sa mère allait lui dire ou faire. Elle ne la croirait pas, pensant qu'elle avait menti et qu'elle n'était pas allée jusqu'à la fontaine. Kenza se mit à pleurer sur son sort.

Tout à coup, comme si quelqu'un avait déposé sur ses épaules un manteau de laine, elle se sentit mieux et ses pensées noires s'évanouirent. L'eau n'était plus gelée. Lui apparut alors une vieille femme emmitouflée dans une grosse couverture, qui lui dit :

« Oh ma pauvre fille, je suis là pour chasser tes malheurs !

– Et qui êtes-vous ?

– Avant toute chose, donne-moi à boire de cette eau pure et bonne. »

Kenza rinça sa cruche et la remplit d'eau. Quand la vieille dame eut bu, elle posa son baluchon à terre et dit à Kenza :

« Donne-moi tes mains, je vais les réchauffer. Tu as été si bonne avec moi ! Et non seulement tu es bonne, mais tu es aussi très belle. Je vais te donner quelque chose qui va changer ta vie.

– Mais vous ne m'avez pas dit qui vous êtes…

– Je suis une fée, rien qu'une vieille fée qui va de village en village, qui escalade les montagnes et traverse les rivières à la recherche d'une bonne âme à sauver. »

Kenza était impressionnée. Elle avait bien entendu parler des fées, mais c'était la première fois qu'elle en rencontrait une. Elle lui posa cette question :

« Puisque vous êtes une fée, pourquoi n'êtes-vous pas bonne avec vous-même ? Vos vêtements sont usés et votre couverture n'est même pas en laine. Faites-vous plaisir et offrez-vous de belles choses !

– Ma chère inconnue, je suis comme je suis et je ne puis changer, sinon, je perdrais mon pouvoir. J'ai été choisie par le destin pour être une fée, mais je ne peux pas en profiter. C'est comme ça. Je me contente de peu, et puis tu sais, les choses matérielles n'ont pas tant d'importance. Ce qui ne m'empêchera pas de faire mon devoir et de te communiquer un don : à partir de maintenant, toute parole qui sortira de ta bouche sera soit une fleur soit une pierre précieuse. Cela compensera les années durant lesquelles tu as été malheureuse parce qu'on a été méchant avec toi. Méchant et injuste. Tu verras comment ta mère et ta sœur vont changer de comportement à ton égard. Tu ne les reconnaîtras plus. Elles seront à tes pieds. »

Kenza, qui avait les larmes aux yeux, dit :

« Mais je n'en demande pas tant ! Je n'aime pas voir les autres humiliés, méprisés, quand bien même ils ne sont pas de bonnes personnes. J'ai un cœur tout blanc, et je refuse de laisser la haine ou la vengeance s'y installer. »

La fée disparut comme elle était venue. Kenza remplit ses cruches qui lui semblèrent légères. Elle marchait en sautillant comme le ferait une petite fille qui vient de recevoir le cadeau dont elle rêvait. Elle ne sentait ni le froid ni la fatigue. Elle était tout simplement heureuse. Arrivée à la maison, comme d'habitude elle fut reçue par les cris et les insultes de sa mère :

« Misérable, tu as tardé, qu'as-tu fait pendant tout ce temps-là ? Réponds-moi ou je te frappe. »

Kenza, naïve, raconta ce qui s'était passé à la source. Et tandis qu'elle parlait, de jolies roses s'échappèrent de sa bouche, puis deux magnifiques perles suivies par deux diamants. La mère se précipita sur les bijoux, laissant de côté les fleurs, et appela sa fille préférée :

« Viens vite, viens, ta sœur est devenue intéressante ! Elle a plein de perles et de diamants… »

La première réaction de Jamila fut de lui demander :

« Où les as-tu volés ? Tu nous fais honte, non seulement tu es idiote, mais en plus tu es une voleuse. »

Kenza, tout sourire, rétorqua :

« Toi, tu es mauvaise, mais sache que moi je n'ai aucun mauvais sentiment à ton égard. Le mal, la méchanceté, je les repousse de toutes mes forces ; si je les gardais en moi, j'en serais abîmée. Tu devrais en faire autant. »

Tandis qu'elle parlait, des perles tombaient tout naturellement de sa bouche.

La mère changea bientôt de ton et se mit à adresser à sa fille mal aimée des paroles douces et tendres : elle était suffisamment maligne pour tenter d'exploiter la situation à son avantage. Elle se renseigna de nouveau sur la fée et sur ce fameux pouvoir. Le lendemain, elle envoya Jamila chercher de l'eau. Au moment où celle-ci se mettait en route, elle lui adressa quelques conseils :

« Sois modeste. Si la fée te demande quoi que ce soit, dis-lui que tu n'es qu'une pauvre jeune fille orpheline et que tu as besoin d'aide. Joue à la fille abandonnée qui tire des larmes aux passants.

– Mais je n'ai vraiment aucune envie d'aller chercher de l'eau. Pourquoi m'y obliges-tu ? On a l'idiote, pour ça !

– Tu vas faire semblant, c'est tout, je veux que les diamants et les perles tombent de ta bouche et non de celle de ta sœur. »

Jamila n'était pas contente. Elle pestait et en voulait à Kenza ; à cause d'elle, la voilà qui était de corvée d'eau. Dehors il neigeait, il soufflait aussi un vent glacial qui rendait insensibles ses mains et son visage. Elle courut pour se réchauffer. Parvenue essoufflée à la source, elle fut déçue de n'y trouver personne. Elle se dit : « C'est encore un coup tordu de cette idiote. » Elle criait : « Kenza est stupide ! Kenza est laide ! » Alors apparut une vieille dame aux yeux enfoncés et brillants.

Elle dit :

« Tu m'as appelée ?

– Non ! Qui êtes-vous ?

– Je suis une amie de l'idiote et de la laide… Tu as d'autres insultes à proférer ? »

Jamila comprit qu'elle avait affaire à la fameuse fée. Alors elle lui dit aussitôt :

« Tu es là pour que je te donne à boire, n'est-ce pas ?

– Si tu veux.

– C'est ma mère qui m'a obligée à venir dans ce froid glacial chercher de l'eau, alors que d'habitude c'est mon idiote de sœur qui s'en charge.

– Mais tu es bien désobligeante, ma pauvre fille !

– Allez, dépêche-toi de me transmettre ton don, comme ça ma mère sera contente et ma sœur retrouvera sa place de boniche à la maison.

– C'est vrai que vous lui donnez à manger vos restes ?

– C'est tout ce qu'elle mérite. Elle est stupide et prétentieuse.

– Que sais-tu des fées et de la vie ? Tu es là à donner des ordres alors que tu as une âme si mauvaise. Je ne peux rien pour toi. Et chaque fois que tu parleras, tu cracheras des vipères et des crapauds. Telle sera ta punition. »

Jamila eut peur, se rendant compte qu'elle s'était mal comportée avec la fée. Elle mit la main sur sa bouche pour ne pas parler. Trop tard. Le don avait déjà pénétré son corps. Elle prit la fuite sans même remplir les cruches. Une fois à la maison, elle se frappa la tête contre les murs. Sa mère hurlait :

« Mais qu'a-t-on fait à ma fille ? Elle est blême, son teint a changé, il est tout gris, ses yeux sont globuleux, sa beauté a disparu, emportée par cette méchante fée ! Ô ma fille, que s'est-il passé ? Raconte à ta pauvre mère…

– Tout ça c'est à cause de Kenza. C'est elle qui a tout raconté à la fée ; elle s'est vengée de nous. »

Tandis qu'elle parlait, tombèrent de sa bouche deux serpents et un crapaud d'une laideur particulière : il bavait, il coassait. Quant aux reptiles, ils rampaient partout à la recherche de nourriture.

Jamila et sa mère hurlèrent d'horreur. Elles se précipitèrent à la cuisine, où Kenza dormait d'habitude, pour l'insulter et lui promettre une vengeance terrible.

Mais Kenza était déjà loin. Dès que sa sœur était revenue à la maison, elle avait éprouvé un fort pressentiment et s'en était allée dans la forêt comme si une voix avait guidé ses pas. Là, elle avait été accueillie par une troupe de chimpanzés qui faisaient les fameuses acrobaties des enfants de Hmadou-Moussa. Ils la prirent bientôt par les aisselles et la firent monter au sommet d'un beau cèdre. Elle fut installée sur un trône tenu fermement par des singes. Elle se sentait bien, comme si elle avait rêvé ou voyagé dans un pays merveilleux. De sa bouche sortaient des fleurs de toutes les couleurs que ses nouveaux amis s'arrachaient parce qu'ils se transformaient en fruits exotiques.

De là où elle se trouvait, elle pouvait apercevoir sa maison et même entendre ce qui s'y disait. Ainsi elle apprit que le malheur avait frappé sa sœur et sa mère qui, rongées par la haine, étaient devenues vertes puis jaunes. Elles vomissaient tout ce qu'elles mangeaient. Les serpents les poursuivaient partout. Puis la mère avait mélangé des boulettes de viande avec de la mort-aux-rats, espérant que les serpents allaient en avaler. Mais le poison avait migré et était tombé dans la jarre d'eau. La mère en avait bu une gorgée et était tombée raide morte. Jamila, devenue folle, était sortie de la maison pour appeler au secours. Mais personne n'était venu la voir. Elle avait erré dans le village, sans plus jamais retrouver le chemin de son logis. Désormais, elle mendiait dans les rues, et son aspect physique ne cessait de se dégrader. Son âme noire s'était échappée de son corps et s'étalait désormais sur son visage de plus en plus repoussant.

La fée s'adressa bientôt à Kenza par ces mots :

« Oublie cette famille. Regarde devant toi. Quelqu'un viendra, je ne sais pas quand, ce sera un homme, pas riche, mais un prince de l'élégance et de la justice ; s'il te demande en mariage, n'hésite pas, il te rendra heureuse. »

Le soir venu, les chimpanzés l'aidèrent à descendre du sommet de l'arbre, la firent asseoir sur un plateau en argent et se dirigèrent vers la sortie de la forêt. Là, un carrosse tout en or attendait. Un domestique la fit monter dedans, distribua quelques bananes aux singes et s'en alla en direction d'un petit palais qui se trouvait sur l'autre versant de la montagne. C'était en fait une petite ferme jouxtant un potager. C'était là la demeure d'un prince, poète, troubadour jeune et beau. Il vivait simplement, servi par des admirateurs fidèles. Il reçut Kenza en lui disant :

Toi que j'attendais,
Toi qui es née de la lumière,
Sois du voyage.
La beauté de ton âme t'a sauvée.
J'aspire quant à moi à atteindre cette âme,
J'en ferai ma foi
Et tu en seras la gardienne et la grâce.

Ton corps qui a tant subi
A été lavé et ta vie rejoint la mienne pour que
règne dans ce monde la justice tant désirée.
Que faire des diamants et des perles ?
Nous avons la source d'eau pure
Et le cœur limpide
Pour vivre sans haïr,
Sans faire honte au pauvre,
Sans mépriser ni humilier.
Nous avons tout à réinventer.
Sois la bienvenue, chère Kenza,
Mon Trésor.

Impressionnée par l'humilité et la gentillesse de ce jeune homme qui parlait comme un vieux sage, Kenza ne savait quoi lui répondre. Elle cherchait ses mots, regardait autour d'elle, découvrant un monde apparemment sans violence.

Il lui prit la main, la baisa délicatement et lui dit :

« À qui dois-je m'adresser pour te demander en mariage ? »

Elle demeura muette, le regarda fixement puis baissa les yeux :

« Je suis orpheline. Mais j'ai un oncle, Si Taïeb, ma mère nous interdisait de le voir. C'est un homme de bien. Seulement, il va falloir faire des recherches pour le retrouver. C'était le frère de mon père. Il était persuadé que ma mère avait empoisonné mon père. Je crois même qu'il avait des preuves. »

Le prince décida d'envoyer un de ses fidèles à la recherche de Si Taïeb, qui était cardeur de laine. Un métier très rare. Les premiers mystiques musulmans, les soufis, étaient connus pour filer la laine qu'ils utilisaient pour fabriquer les vêtements simples qu'ils portaient.

Quelques jours plus tard, Si Taïeb faisait son entrée au palais. Il était si heureux de revoir sa nièce ! On lui raconta ce qui s'était passé dans la famille. Il poussa un soupir de soulagement et dit :

« Ceux ou celles qui font le mal finissent toujours par tomber dans ses marmites.

– Pas toujours, fit remarquer le prince. Le monde est plein de gens mauvais dont le métier et la passion sont au service de Satan. Ils jouissent de toutes les opportunités que leur offre la vie. Pas de sentiments, nulle valeur, rien que l'appétit de l'argent et l'indifférence au sort des pauvres. »

Ce à quoi Si Taïeb répondit :

« Nous savons que des gens tuent et meurent pour la poussière de la vie, la mauvaise poussière, celle de l'argent. »

La demande en mariage eut lieu un vendredi après la prière de midi. Pas de dot. Pas de cadeaux. Juste des prières et de la poésie. Le prince avait quelques rentes et vivait surtout des biens de la ferme.

Au moment où l'on rédigeait l'acte, la fée apparut, cette fois-ci mieux vêtue, et elle fit brûler de l'encens mêlé à du santal et à de l'ambre. Ça sentait très bon. Elle s'assit dans un coin de la salle des fêtes et attendit de parler avec Kenza. Une fois la cérémonie terminée, elles s'isolèrent. Alors la fée lui dit :

« Il faut que je te dise des choses graves. Je dois libérer ma conscience.

– De quoi s'agit-il ?

– Tout est de ma faute. C'est moi qui ai poussé ta

mère dans les bras de la mort. C'est moi qui ai jeté ta sœur dans les rues et en ai fait une pauvre folle. Mais depuis, j'ai perdu mon pouvoir. Je suis redevenue une femme parmi tant d'autres. Je vais de maison en maison où je propose mes services pour faire la cuisine et le ménage. Je voudrais que tu intercèdes auprès de ton mari pour qu'il me prenne à votre service. Ne te fie pas à mon apparence, je ne suis pas si vieille que tu crois. Je suis en bonne santé et encore capable de me rendre utile, même si mon pouvoir s'en est allé. »

Kenza était interloquée. Comment cette fée avait-elle pu perdre cet extraordinaire pouvoir ? Comment allait-elle survivre ? Elle en parla avec le prince, qui lui avoua qu'il se méfiait des fées mais reconnaissait que c'était grâce à celle-ci qu'ils s'étaient rencontrés.

« Nous allons la garder auprès de nous. »

Elle se faisait appeler Ouarda, avait des connaissances en botanique et savait préparer des mixtures de plantes pour guérir l'inquiétude et la peur. Kenza n'étant pas tout à fait libérée de son passé, de temps à autre des souvenirs malheureux assombrissaient son visage, lui faisaient faire des cauchemars. Le prince en parla avec l'ancienne fée, qui lui proposa d'emmener sa femme quelque part pour laver sa mémoire. Le prince, surpris, demanda des explications. Alors Ouarda, heureuse, lui dit :

« Nous passons notre vie à amasser des souvenirs, les bons comme les mauvais. Nous ne les maîtrisons pas, ils sont en nous et surgissent à l'improviste sans qu'on y puisse rien. Il suffit d'une odeur, d'un parfum, d'une image qui traverse à toute vitesse notre esprit pour que certains souvenirs se mettent à danser devant nous. Je connais un lieu, un marabout, le mausolée d'un saint soufi, où, à force de concentration et de volonté, on parvient à se débarrasser des mauvais souvenirs. En fait ils ne disparaissent pas complètement, mais vont se nicher dans la mémoire d'autres personnes. Certains prétendent qu'on les revend, d'autres qu'on les stocke dans un hangar où ils finissent par s'éteindre et devenir fine poussière. »

Le prince était impressionné et permit à Ouarda de tenter l'expérience avec sa jeune épouse.

Un matin, elles partirent donc en carrosse vers une destination inconnue. Après une journée de voyage, Ouarda et Kenza arrivèrent dans un village appelé Douar Nissiane (« le village de l'oubli »). Autour du marabout, des femmes de tous âges attendaient. Il y avait là un homme noir du nom de Bilal qui s'activait, parlait avec les uns et les autres. C'était lui qui introduisait les femmes à l'intérieur du mausolée.

Ouarda glissa un billet dans sa poche et lui murmura quelque chose à l'oreille. Bilal fit alors un saut en arrière puis s'inclina, comme s'il s'était trouvé face à une très haute autorité. Il leur dit :

« Suivez-moi. »

Les deux femmes s'approchèrent du tombeau, caressèrent la broderie noire avec des calligraphies en fil d'or, puis se retirèrent dans une pièce sombre où l'opération de l'assainissement de la mémoire devait avoir lieu. À cette fin, Ouarda fit brûler un encens particulier, qui dégageait une odeur étouffante. Kenza se mit alors à tousser de toutes ses forces, crachant des glaires vertes, jaunes, blanchâtres. Et plus elle crachait, plus elle se sentait soulagée. Ouarda lui frappait le dos en lui intimant de ne pas s'arrêter :

« Continue, tousse, va chercher le mauvais en toi et

débarrasse-toi de tout ce qui t'étouffe, vas-y, ne crains rien, c'est ça, encore un effort… »

Au bout d'une heure, Kenza, très éprouvée par cette toux, posa sa tête sur l'épaule de Ouarda et s'assoupit. Bilal arriva alors et nettoya le sol avec des produits puissants. Il s'étonna de la difficulté qu'il avait à chasser ces crachats.

« La pauvre jeune femme était remplie de très mauvais souvenirs ; il était temps qu'elle fasse ce grand nettoyage ! »

Elles dormirent dans le mausolée. Bilal leur apporta quelques crêpes au miel pour le dîner, puis il disparut. Le lendemain, elles repartirent au palais. Sur la route, Kenza ne disait rien. Elle était assommée par ce qu'elle avait vécu. Il faudrait attendre quelques jours avant de savoir si sa mémoire s'était vraiment purifiée.

Effectivement, il apparut que les mauvais souvenirs s'étaient presque tous envolés, qu'elle avait tout oublié de son enfance et de sa tendre jeunesse. Sa vie commençait maintenant à la source, le soir où elle avait rencontré la fée à qui elle avait donné à boire.

Ni elle ni Ouarda n'évoquèrent leur visite au marabout. La vie était simple et belle. L'amour entre les jeunes mariés était parfait. Quand il lui arrivait de penser à sa mère et à sa sœur, Kenza les voyait dans un jardin en train de préparer un bouquet. Elles étaient souriantes, belles et gracieuses. Aucune ombre ne planait autour d'elles. Kenza était satisfaite, sa vie allait prendre tout son sens : elle était enceinte. Le prince composa plusieurs poèmes pour célébrer l'événement. Elle accoucha bientôt de jumelles, deux superbes filles.

Le jeune couple les aimait l'une et l'autre avec la

même force, le même amour, et en fit des êtres merveilleux qui devaient marquer leur époque par leur humanité et leur sagesse. Aussitôt qu'elles eurent atteint leur majorité, Ouarda estima que sa mission était achevée. Elle disparut un beau matin, et plus personne ne la revit jamais.

On comprit qu'elle avait menti, que son pouvoir était toujours présent, qu'elle l'avait utilisé pour permettre aux blessures de Kenza de se refermer définitivement afin que celle-ci connaisse le bonheur et la joie jusqu'à la fin de sa vie.

6

Cendrillon

Il était une fois un brave homme, riche et bon vivant, que son épouse avait quitté un soir pour ne plus jamais réapparaître. Elle était sortie rendre visite à sa mère malade, et on ne l'avait pas revue. Après des mois de recherches, les autorités conclurent à la mort de la jeune femme et délivrèrent un certificat de décès au mari, un agent ayant découvert un corps en décomposition dans le bois le plus proche de la ville.

Sakina, leur fille, venait d'avoir cinq ans. Elle était triste et parlait peu. Quand elle réclamait sa mère, on lui disait qu'elle était montée au ciel. Alors, la petite escaladait une échelle et prétendait la rejoindre. Elle pleurait, et le père ne savait comment la consoler.

La disparition de cette femme fit beaucoup de bruit alentour. Certains étaient persuadés qu'elle avait suivi un amant étranger, d'autres disaient qu'elle avait été abusée par une sorcière qui lui aurait promis d'avoir un garçon ; on imaginait toutes sortes d'histoires mais personne ne savait la vérité. L'homme était désespéré, négligeait ses affaires et se laissait aller à une mélancolie paralysante. Un jour, Sakina, dont l'intelligence était exceptionnelle, lui suggéra de se remarier.

« Quoi ? Oublier ta mère, la plus douce et la plus

généreuse des femmes ? Non, ma fille, je pense tout le temps à elle. »

Sakina lui parla comme si elle était une adulte :

« La vie continue, mon cher père, je suis certaine que tu trouveras une épouse qui a ces qualités. Que penses-tu de notre voisine ? Elle est veuve et inconsolée ; elle a deux filles charmantes, et puis à vous deux, vous parviendrez sûrement à vaincre la tristesse. Ce sera une nouvelle famille pour moi, j'aurai des sœurs et peut-être qu'elle te donnera un garçon. »

Impressionné par la sagesse et la hauteur de vue de sa fille, l'homme accepta de dépêcher des émissaires demander la main de la jeune et jolie veuve. Elle commença par refuser, considérant qu'elle méritait un meilleur parti. Elle ne le dit pas en ces termes, bien sûr, accepta le bouquet de fleurs qu'il lui avait apporté, mais demanda à réfléchir en disant qu'il lui fallait en parler à ses filles. Le mois suivant, elle accepta pourtant. Le mariage fut célébré dans la discrétion.

Aussitôt que les deux filles de sa belle-mère, Kenza et Warda, rejoignirent la demeure, Sakina sentit que les choses allaient se compliquer pour elle. Car Fatma, leur mère, leur fit comprendre que la petite Sakina était là pour les servir. Elle leur dit :

« Votre beauté et votre lignée sont bien supérieures à celles de cette petite fille, dont la mère a disparu dans des conditions douteuses. À chacune son rang, à chacune sa place. »

Elle aurait aussi bien pu ne pas leur faire la leçon. Elles étaient faites du même tissu. Leur regard, en se posant sur les gens, en disait long sur leur prétention. Nées pour être servies, et au passage, humilier.

Très vite Fatma mit les choses au point : pas question que Sakina mange à la même table que ses filles, ni qu'elle porte des habits plus beaux. Elle serait une domestique qu'il faudrait traiter en inférieure.

Sakina subissait sans mot dire. Elle voyait son père dominé par sa nouvelle femme. Lorsque leurs regards se croisaient, il baissait les yeux comme pour s'excuser et dire : « Je n'y peux rien, elle est plus forte que nous deux réunis. » La faiblesse de son père faisait mal à Sakina, mais, patiente, elle savait qu'un jour l'heure de la justice sonnerait. C'est ainsi qu'elle se soumettait aux ordres des trois femmes, puis s'isolait quand elle avait fini le ménage. Elle aimait alors s'asseoir tout près de la cheminée, les pieds posés sur les cendres éteintes. Un jour, passant par là, Kenza, la plus méchante des deux filles, lui dit :

« Dorénavant, tu t'appelleras Cendrillon. »

Elle éclata de rire et décocha un petit coup de pied à Sakina en partant.

Warda fit aussitôt de la surenchère :

« On l'appellera Cendri, c'est plus vulgaire que Cendrillon. »

La mère ne fit pas de commentaire. Le père tenta de protester, mais du bout des lèvres :

« C'est sa mère qui avait tenu à lui donner le prénom de sa tante bien-aimée ; pour moi, elle est Sakina et le demeurera toujours. »

Fatma répondit :

« Nous, on s'en moque. Quant à toi, il te faut me donner de l'argent pour que je puisse aller prendre les robes que j'ai commandées au tailleur pour le bal du prince. »

Le père ouvrit sa cassette et lui offrit de se servir.

C'est ainsi que, contrairement à la légende, dans ce pays d'Orient, les femmes au tempérament fort dominaient les hommes. Elles n'avaient certes pas les mêmes droits que les hommes, mais à la maison, c'étaient elles qui régnaient, et elles abusaient de leur pouvoir domestique. Fatma s'empara de la totalité des billets qui se trouvaient dans la cassette. Elle n'avait pas besoin de tout cet argent, mais, par précaution, elle en cacha une partie dans son armoire. Le mari ne fut pas étonné par son attitude. Il savait qu'il avait affaire à une femme qui n'avait pas beaucoup de sentiments pour lui et qui avait fait, comme elle le disait elle-même, « un mariage de raison ».

Au premier jour du printemps se tenait le bal du prince, la fête la plus attendue de la ville. C'est là que les jeunes gens se rencontraient et entamaient parfois une relation en vue du mariage. On avait surnommé ce bal « le *moussem* des fiançailles ». Au désespoir de leur mère, ni Kenza ni Warda, en dépit de leur beauté, n'avaient trouvé de fiancé. Elle leur dit sur un ton ferme :

« Vous vous approchez de la majorité, c'est le moment ou jamais de vous trouver un mari, et n'allez pas me ramener un poète, un troubadour ou un artisan ! Il faut qu'il soit riche ! »

Elles passèrent la journée à se préparer. Elles se rendirent d'abord au hammam, où elles se firent épiler par une masseuse noire. Leur mère leur disait toujours : « Surtout pas de poils, ce sont les filles pauvres qui laissent pousser leurs poils, ce n'est pas propre ! » Le coiffeur vint à la maison et consacra beaucoup de temps à réaliser, pour chacune, une coiffure exceptionnelle, et à les maquiller avec des produits importés de France. Tandis qu'elles se préparaient, elles réclamèrent à Sakina du thé et des biscuits. Elles la taquinèrent :

« Cendri, veux-tu toi aussi aller au bal, peut-être que le prince tombera amoureux de toi, tu deviendras princesse et plus tard reine !

– Cendri, n'oublie pas de rouler tes pieds dans la cendre, il paraît que ça porte bonheur !

– Vous vous moquez de moi, ce n'est pas gentil.

– Alors, apporte-nous des jus de fruits, nous avons besoin d'énergie pour danser et faire tourner la tête aux plus beaux jeunes hommes de la ville. Si tu veux, on te choisira un fiancé parmi les serviteurs. Ils sont pas mal quand ils veulent bien se laver et obéir sans lever la tête. »

Sakina courut leur préparer les jus. Elle pleurait en silence. Quelques-unes de ses larmes tombèrent dans un verre d'oranges pressées. Cela la fit rire. Elle cessa alors de se lamenter sur son sort et arriva, toute joyeuse, un plateau bien garni posé sur les mains. Pas de merci, aucune gentillesse. Des filles mal élevées, grossières et vulgaires. Elle les regarda et songea qu'elle n'aimerait pas être à leur place.

Après leur départ pour le palais du roi, Sakina se retrouva toute seule et demeura assise près de la cheminée. Elle était triste et pensait à sa mère. Subitement, elle crut la voir devant elle. Elle se frotta les yeux. Il y avait bien une femme, mais ce n'était pas sa mère. Sakina dit :

« Qui êtes-vous ? Vous n'êtes pas ma mère ? Vous êtes trop vieille pour ça, je ne vous connais pas…

– Mais si, tu me connais, mais tu m'as oubliée. Je

suis Lalla Aïcha, ta marraine. Aussitôt que j'ai su que tu étais triste, j'ai accouru et me voilà. Alors, tu veux aller au bal ? Eh bien, tu vas y aller, et tu verras, ce sera formidable.

– Comment cela ? Je n'ai pas de robe, je suis laide et je ne peux pas y aller comme je suis !

– Cesse de te lamenter, fais-moi confiance et cours me chercher une citrouille. »

Sakina obéit tout en se demandant à quoi pourrait bien servir une citrouille. Elle eut du mal à en trouver une. C'est finalement le vieux jardinier, qui en avait gardé une dans la réserve, qui la sortit d'embarras :

« Elle est trop lourde pour toi, je vais t'aider. Qui en a besoin ? Ta belle-mère qui a de si drôles d'idées ? Elle est méchante avec tout le monde. Moi, elle me traite comme si j'étais son esclave. L'autre jour, par exemple, elle m'a fait appeler et m'a donné l'ordre de lui apporter sur-le-champ des aubergines du jardin. Mais elles n'étaient pas mûres. Quand elle les a vues, si petites et encore vertes, elle s'est mise à hurler et m'a chassé en me traitant de tous les noms. Ton père, le pauvre, doit avoir bien du mal avec cette mégère. »

Le jardinier plaça la grande citrouille dans une brouette et la porta chez Sakina. Il reconnut tout de suite Lalla Aïcha et la salua :

« Tu es de retour ! Si ton pouvoir est aussi fort qu'avant, tâche de nous débarrasser de cette femme mauvaise…

– On verra plus tard. »

Sakina observait Lalla Aïcha et tenta de percer ses intentions. C'est alors qu'elle aperçut une baguette en argent dépassant de sa poche. Elle se dit : « C'est une fée ! Mais aujourd'hui pourtant, il n'y a plus de fées ? »

Lalla Aïcha transporta la citrouille dans la cour et, d'un coup de baguette, la transforma en quelques secondes en un carrosse. Sakina se frotta plusieurs fois les yeux, éclata de rire, puis s'écria :

« Ouah ! C'est magnifique ! Comment avez-vous fait ?

– Ne pose pas de questions, et va me chercher… ou plutôt, dis-moi où je peux dénicher une souricière. Il doit bien y avoir quelques souris dans le grenier ou dans la réserve… »

Sakina la conduisit au fond du jardin, où étaient placées quelques tapettes à souris. La fée les désarma, les glissa dans un sac de jute trempé dans de l'huile, qu'elle plaça ensuite sur un trou qui devait mener à la cachette où vivaient les souris. Elle en attrapa six, noua le sac et les retint prisonnières. Il lui manquait un rat. Le jardinier lui indiqua un gros trou dans le mur. Elle renouvela l'opération. Un gros rat se trouvait maintenant dans un autre sac. Elles s'en revinrent alors près du carrosse. Lalla Aïcha administra trois coups de baguette sur chacun des deux sacs. Rien ne se produisit. Elle demanda alors à Sakina de s'éloigner :

« Tu ne crois pas à la magie, n'est-ce pas ?

– Si, un peu…

– Alors, retourne à la maison et prends un bain. Fais-toi belle et attends-moi. »

Elle sortit de sa poche la baguette magique, frappa chaque sac d'un petit coup sec. Dans la seconde apparurent six chevaux et un cocher, gros et moustachu. Elle appela le jardinier qui regardait, l'air médusé :

« J'ai besoin de six lézards.

– Il ne fait pas assez chaud pour qu'ils sortent, mais je sais où ils se cachent. Ceux de l'été dernier étaient des lézards amoureux, ils connaissaient les secrets de chacun. Ils étaient étranges, paresseux et surtout indomptables. Ils ont fait pas mal de dégâts. »

Les lézards furent transformés en laquais. Tout était prêt pour conduire Sakina au palais royal. Elle revêtit une robe qui appartenait à sa mère et lui allait très bien. Lalla Aïcha se chargea elle-même de la coiffer et de la maquiller. Elle était devenue très belle, et lumineuse.

« À présent, tu vas te rendre au bal du prince. Tu y feras une entrée remarquée. Ne sois pas timide, mais tiens-toi sur la réserve. Parle peu, et surtout, ne dis rien de ce que tu as vu. Tu vas t'amuser, et les jeunes hommes seront tous à tes pieds. Sois fière et ne baisse pas la tête. Tu es une princesse, une vraie, dans toute sa beauté. Et retiens bien ce que je vais te dire : il faut absolument que tu sois rentrée avant minuit. J'insiste : avant minuit. Ne me demande pas pourquoi, mais tu dois absolument quitter le palais avant minuit. »

Sakina baisa la main de la fée et promit de lui obéir. Elle prit place dans le carrosse, dont les ornements brillaient.

Lorsqu'elle arriva au palais, on fit appeler le prince :

« Altesse, une princesse vient d'arriver. »

Il l'accueillit en lui faisant le baise-main. Il la regarda et fut pris de stupeur. Tant d'éclat et de beauté ! Sakina lui dit :

« Altesse, je suis Sakina, votre voisine. Emmenez-moi danser ! »

Le prince la prit par le bras et fit une entrée magnifique avec elle. Les musiciens s'arrêtèrent de jouer. Les femmes se précipitèrent pour voir de plus près cette créature de rêve. Kenza et Warda s'approchèrent à leur tour et lui firent la révérence. Bien sûr, elles ne l'avaient pas reconnue et lui demandèrent de quel royaume elle venait. Sakina ne répondit pas.

Elle demeura dans les bras du prince qui la fit danser toute la soirée, tandis que ses deux sœurs pleuraient dans un coin. Tout en dansant, elle demandait souvent l'heure.

« Mais oubliez le temps, dansez, riez, soyez heureuse !

– Je suis heureuse, mais j'ai promis à mon père de rentrer avant une certaine heure. J'aime tenir mes promesses. »

Un quart d'heure avant minuit, elle prit congé du prince, monta dans son carrosse et rentra à la maison, où l'attendait Lalla Aïcha. Ce départ fut particulièrement apprécié par les femmes, enfin débarrassées de cette concurrente inaccessible.

Le lendemain matin, Kenza et Warda reprirent leurs moqueries :

« Ah, Cendri ! Si tu étais venue, tu te serais tellement ennuyée ! Il n'y avait que des belles filles, riches et faites pour devenir princesses. Mais voilà que le prince n'a eu d'yeux que pour une étrangère, une princesse venue d'un pays au nom imprononçable. Et c'est vrai qu'elle était belle, elle nous a d'ailleurs toutes éclipsées. Alors toi, si tu avais été là, elle t'aurait véritablement écrasée ! On devrait interdire aux étrangers d'entrer dans notre pays. Si toutes les princesses étrangères commencent à venir au bal de notre prince, nous n'aurons plus aucune chance d'attirer l'attention de cet homme si beau et si charmant. »

Sakina ne fit pas de commentaire. Elle riait sous cape et remerciait la fée. Son père la fit venir et lui annonça qu'il avait un projet pour elle, afin de l'éloigner de cette maison où elle était maltraitée :

« Ton cousin, tu sais, celui qui a perdu sa femme dans un accident, eh bien, il m'a demandé ta main. Il est assez fortuné et je suis sûr qu'il se conduira bien avec toi. Il a trois enfants, il est encore jeune et vigoureux. Qu'en penses-tu ? »

Sakina répondit à voix basse :

« Père, j'épouserai un prince ! »

Le père s'esclaffa, puis dit à son tour :

« Oui, bien sûr, ma fille, ton mari sera un prince...

– Père, je suis sérieuse. Le soleil et la lune m'ont envoyé un message clair : je serai bientôt princesse. Il ne faut pas que je contrarie le ciel, sinon je m'attirerai des problèmes. »

Elle s'éclipsa sur-le-champ, non sans avoir affectueusement remercié son père pour cette généreuse proposition.

Quinze jours plus tard, de nouveau, le prince organisa un bal. Lalla Aïcha réapparut et donna l'ordre à Sakina de se préparer.

« Cette fois-ci, ma fille, tu vas briller plus encore, mais la condition reste absolument identique : tu dois rentrer avant minuit. »

Sakina en demanda la raison.

« Parce que, passé minuit, mon pouvoir disparaît ; je redeviens une femme ordinaire, une vieille femme comme les autres, édentée, usée. Je ne voudrais pas que tu en sois la victime. Alors n'oublie pas, non seulement je perds mon pouvoir, mais je deviens mauvaise. Car je n'aime pas ça. »

Le prince, qui n'avait cessé de penser à Sakina, l'avait attendue. Il serait encore plus attentif, plus courtois, plus affectueux que la première fois. Les autres filles étaient inquiètes. Elles se disaient entre elles :

« Reviendra-t-elle ?

– On aurait dû lui tendre un piège pour l'empêcher de venir gâcher à nouveau notre fête.

– Oui, mais comment faire ? On ne sait même pas d'où elle vient. Une princesse d'un pays étranger ! Quel est ce pays ? Tout cela n'est peut-être pas si sérieux qu'il y paraît... »

Et Sakina, une nouvelle fois, se présenta au palais. Au beau milieu de la soirée, le prince lui fit une déclaration d'amour. Elle en fut très émue, se laissa couler dans ses bras et en oublia et le monde et le temps. Soudain, elle entendit le premier coup d'horloge : minuit sonnait. Elle se précipita alors vers la sortie sans avoir eu le temps de s'excuser et dans la foulée perdit sa chaussure du pied droit. Elle était en cristal. Sakina s'en rendit compte une fois installée dans le carrosse. Il n'était pas question pour elle d'aller la rechercher. Trop tard.

Le prince ramassa la précieuse chaussure et la glissa dans sa poche. Il était amoureux. Toutes les filles présentes s'en aperçurent. À partir de ce moment, le prince se laissa aller à une douce mélancolie, caressant la chaussure dans l'attente que quelqu'un vînt la rechercher. Et il eut beau demander à ses conseillers de trouver l'adresse de cette jeune fille, il apparut que personne ne la connaissait. Il convoqua alors au palais la vieille sorcière qui, lorsqu'elle était de bonne humeur, faisait de la voyance. Or, ce jour-là, elle était d'une humeur de chienne. Elle pestait, crachait par terre et insultait les domestiques. Quand elle vit devant elle le prince, elle lui dit en ricanant :

« Alors, on a besoin de mes services ? Du poison ou de la cervelle d'hyène en poudre ? Dis-moi, qui veux-tu voir disparaître ? »

Le prince se boucha le nez tant elle dégageait de mauvaises odeurs.

« Non, personne ne doit disparaître. Tu me prends pour un assassin ? »

Il se souvint qu'elle adorait manger de la tête de mouton à la vapeur. Il lui fit donc servir deux têtes bien grasses, et revint la voir au moment du thé. Elle s'était radoucie, on l'aurait dit gentille et serviable. Le prince exhiba la chaussure :

« Peux-tu me dire à qui elle appartient ? »

Elle mit ses lunettes, l'examina, puis dit :

« Je ne vois pas, c'est un pied fin, une jeune femme de grande classe. Je te suggère de convoquer toutes les jeunes et belles filles de la ville, et de leur faire essayer cette chaussure. C'est le seul moyen de retrouver la belle qui la portait. »

L'annonce fit le tour de la ville. Le lendemain, une file d'une centaine de jeunes filles s'était constituée, tôt le matin, devant le palais. Les gardiens, qui n'avaient pas été informés, essayèrent de les chasser. Mais elles résistèrent en criant : « Vive le prince ! » Vers midi, on leur ouvrit les portes. Ce qui donna lieu à une bousculade. L'un des conseillers du prince mit de l'ordre dans ce grand chaos et les fit passer l'une après l'autre, dans le calme et le silence.

Le conseiller tenait dans sa main la chaussure en cristal du pied droit, la passait au pied tendu et faisait à chaque fois non de la tête. Aucune fille ne fut retenue. Kenza et Warda s'étaient, bien sûr, elles aussi présentées, mais elles en furent pour leurs frais et repartirent de bien mauvaise humeur. Sur le chemin, elles rencontrèrent Sakina.

« Où vas-tu ?

– Je vais tenter ma chance, il paraît qu'un prince recherche une jeune fille aux pieds délicats, or les miens sont très délicats…

– Quelle impudence ! Tu nous fais honte ! Rentre tout de suite à la maison ! »

Sakina sourit, les regarda fixement puis leur dit sur un ton calme :

« Je ne suis pas votre domestique. Je fais ce que je veux et, si je suis retenue par le prince, je vous nommerai à un poste important dans mon entourage. »

À ces mots, les deux sœurs furent prises d'un grand éclat de rire. Kenza voulut frapper Sakina, mais Warda la retint.

« Viens, laisse-la, c'est une pauvre fille, elle n'a aucune chance, elle se fait des idées. C'est incroyable comme les pauvres peuvent être prétentieux. »

Puis, se tournant vers Sakina :

« Allez va, va te faire ridiculiser ! On se retrouvera à la maison, et tu verras la surprise que nous t'aurons préparée ! »

L'esprit de Lalla Aïcha guidait les pas de Sakina. C'est pourquoi elle se sentait forte, bien décidée à tenter sa chance elle aussi. Mais en même temps elle était prise d'un doute. Le souvenir des deux soirées où elle s'était rendue au palais n'était pas si net dans son esprit. N'avait-elle pas rêvé ?

Elle se présenta devant le palais. Les portes étaient fermées. Il se trouvait encore quelques filles qui pleuraient dans un coin. Elle s'adressa à l'un des gardes :

« Je viens pour essayer la chaussure.

– Trop tard, ma petite. Retourne chez toi. »

À ce moment, le conseiller sortait du palais. Il regarda Sakina et eut l'impression de l'avoir déjà vue. Il la prit donc par la main et la conduisit auprès du prince qui était triste de ne pas avoir retrouvé la perle rare. Aussitôt qu'il la vit, il n'eut aucun doute :

« Confiez-moi votre pied droit. »

Il se glissa idéalement dans la chaussure.

« Comment vous appelez-vous ?

– Sakina, Altesse.

– Vous étiez au bal, l'autre soir ?

– Oui, mais sans doute pas en réalité, en rêve. J'ai passé la nuit à rêver de ce palais et du bal, j'ai même rêvé d'avoir perdu l'une de mes chaussures. Mais en réalité je devais dormir dans ma chaumière et souffrir du froid, car il n'y avait plus de bois dans la cheminée. »

Au moment où elle se levait pour prendre congé, elle sentit un petit coup de baguette sur sa tête et entendit la fée lui dire :

« À présent, c'est à toi de jouer. Sois toi-même et tu verras que ta beauté sera reconnue. »

Le prince la reconnut alors :

« Vous avez un sourire que je n'oublierai jamais. Enfin ! C'est donc vous ! Cette beauté, cette grâce me sont tout à coup familières. Je voudrais voir vos parents le plus tôt possible. »

Sakina eut les larmes aux yeux.

« Ma mère est morte ; mon père viendra vous voir

quand vous le désirerez, c'est un homme brave, d'une grande gentillesse, mais… »

Le prince l'invita à poursuivre :

« Vous n'avez rien à craindre, dites-moi ce qui vous rend si triste. »

Sakina essuya ses larmes puis décida d'en rester là. Elle saisit ses chaussures d'une main et s'apprêtait à prendre congé du prince quand elle reçut un autre coup de baguette sur la tête. Elle fut alors enveloppée dans une robe de lumière, tourna sur elle-même puis fit la révérence pour saluer celui qui tenait de nouveau dans sa main la chaussure en cristal. Il remarqua qu'elle portait la même chaussure au pied gauche. Alors, elle tendit le pied droit. Tout était parfait. Le conseiller reçut l'ordre de faire venir le père de Sakina.

Pendant ce temps-là, Sakina fut invitée à se promener dans le labyrinthe du jardin ; elle avait pressenti que Lalla Aïcha l'y attendait. Il fallait passer d'un couloir à un autre, trouver son chemin, et elle y parvint en suivant le parfum particulier que la fée avait répandu à l'aide d'un encensoir. À un certain moment, elle dut s'arrêter parce que tout tournait autour d'elle. Elle fut prise de vertige et eut l'impression, fort agréable, d'être transportée dans un autre monde qui ressemblait à celui qu'elle avait vu en rêve. Elle se demandait comment sortir de ce jardin où les chemins bifurquaient quand un vieil homme, aveugle et élégant, lui tendit la main :

« Suivez-moi, mademoiselle. »

Elle n'osa pas le contrarier et lui demander comment il comptait s'y prendre, lui qui était non-voyant.

« Je suis aveugle, mais j'ai lu tous les livres. Je suis d'ailleurs tombé dans ce labyrinthe en lisant *Les*

Mille et Une Nuits. C'est peut-être à cause de cela que j'ai peu à peu perdu la vue. Depuis, je tourne en rond en vous attendant, car quelqu'un m'a dit qu'une jeune fille vierge et nubile viendrait un jour me sortir de là. Elle quitterait les pages du grand livre un matin à l'aube, porterait le nom de Sharazade, me tendrait la main et m'emmènerait loin de ces allées dessinées par le jardinier d'un roi qui vouait un culte hors du commun aux arbres. »

Ils marchèrent en suivant le parfum du paradis. Le vieil homme raconta alors à Sakina l'histoire d'un prince qui avait perdu son frère jumeau et se considérait depuis comme une moitié d'homme. Seule une jeune femme aux petits pieds et à l'âme pleine de grâce pourrait combler ce manque dont il souffrait jour et nuit.

« Il me semble, mademoiselle, que vous êtes cette âme et ce corps dont a besoin notre prince. Je le sens, car depuis que j'ai perdu la vue, j'ai acquis un nouveau sens, l'intuition : elle se révèle toujours vraie. »

Quand ils sortirent du labyrinthe, Sakina était persuadée que son rêve était en train de se réaliser. Elle vit des étoiles en plein jour danser au-dessus de sa tête. Lalla Aïcha se trouvait alentour. Elle demanda au vieil homme comment il s'appelait :

« Appelez-moi "mon oncle". Je serai là pour vous raconter des histoires, vous réciter des poèmes, inventer des personnages, vous distraire – et peut-être vous instruire. Je dirige la grande bibliothèque du palais, je suis spécialiste des manuscrits du douzième siècle, l'époque où le monde parlait arabe, où l'islam était religion des lumières. »

Tambours et trompettes annoncèrent la fête. Le prince sortit accueillir le père de Sakina, qui était très ému. Il fut reçu avec tous les honneurs. Entre-temps le vieil homme avait disparu, laissant Sakina étreindre son père.

Le prince fit sa demande en mariage. Le père, pris de timidité, bredouilla quelques mots de remerciement, puis se tourna vers sa fille :

« Ma fille, as-tu entendu le prince ? C'est à toi de répondre. Moi je n'ai qu'à donner ma bénédiction. Je ne déciderai pas à ta place. »

Sakina avait les larmes aux yeux. Elle pensait à sa mère et à sa condition de domestique.

« Oui, Altesse. C'est un grand honneur que d'être à vos côtés. »

Le prince voulut tout de même entendre le père.

« Et vous, monsieur, qu'en dites-vous ?

– Je dis oui, comme ma fille. Et je vous remercie pour l'immense honneur que vous nous faites. »

Des hommes en djellaba blanche arrivèrent, portant un grand registre vieux de deux cents ans, le posèrent sur une table basse et commencèrent à écrire. Ainsi fut rédigé le contrat de mariage entre le prince et Sakina. Le prince demanda aux scribes de porter sur le document les précisions suivantes : « Le mari s'engage à mettre fin au droit traditionnel de la polygamie et de la répudiation. Le mari et l'épouse ont les mêmes droits et se doivent le respect jusqu'à ce que la mort les sépare. Pour ce qui est de l'héritage, les époux s'engagent à traiter les filles et les garçons sur un pied d'égalité. »

Les hommes, aussi surpris que scandalisés, se levèrent alors et s'éloignèrent en disant :

« Nous sommes musulmans, et jamais nous ne rédigerons un acte de mariage qui bafoue ainsi les textes coraniques. »

D'un geste, le prince leur intima l'ordre de quitter les lieux et fit venir d'autres scribes, qui obéirent à ses demandes sans lever la tête.

Les époux apposèrent leurs signatures au bas de la dernière page. Un jeune homme amorça un air à la trompette, une belle femme noire entama un hymne à la joie et au bonheur.

Le soir venu, Sakina rentra chez elle pour ramasser ses affaires. Elle ne dit rien à Kenza et à Warda. Mais leur mère la convoqua dans sa chambre et lui administra un coup de cravache parce qu'elle l'avait plusieurs fois appelée et qu'elle ne s'était pas présentée. Sakina lui arracha le fouet des mains, le jeta par la fenêtre et lui dit :

« Je vous pardonne, à vous et à vos deux filles. Votre cœur sec a besoin d'être irrigué du sang de la bonté. Votre âme pleure en silence mais vous ne l'entendez pas. Je ferai en sorte, dorénavant, que votre cœur et votre âme deviennent humains. »

À cet instant, le père entra dans la chambre, prit sa fille dans ses bras et lui donna de nouveau sa bénédiction. Sa femme ne comprenait pas ce qui se passait.

« Ma fille a épousé le prince ! »

La mère s'évanouit après avoir poussé un cri, qui alerta ses filles. Quand elle reprit connaissance, elle se mit à délirer :

« Catastrophe ! C'est le monde à l'envers ! Une fille laide a conquis le cœur du prince ! Cette fille est une sorcière, oui, elle est habitée par Satan… »

Sakina la salua comme elle le faisait d'habitude et

se retira sur la pointe des pieds. Dans le couloir, elle retrouva son père qui avait l'humeur des mauvais jours. Sakina lui baisa la main et lui murmura :

« Laisse-la dire ce qu'elle veut. »

On entendit de loin les cris de l'épouse, effondrée par ce qu'elle venait d'apprendre. Ses deux filles la rejoignirent, et ce fut un long moment de pleurs, de cris et de lamentations.

Un carrosse attendait Sakina pour l'emmener au palais. Elle mit sa plus belle robe, ses chaussures en cristal et fit appeler son père pour l'accompagner. Il arriva élégamment habillé, apparemment soulagé d'avoir eu une explication avec sa mégère de femme, qui lui avait griffé le visage.

Le mariage eut lieu la semaine suivante. Sakina avait insisté pour que la fête fût modeste. Le prince apprécia cette demande et n'invita à la cérémonie que les personnes les plus proches. La belle-mère arriva en retard, suivie de ses deux filles, qui firent semblant d'être contentes. Sakina les reçut avec joie, les serra contre son cœur, puis les installa à la meilleure place avant de leur offrir des cadeaux. Étonnées, elles ne savaient que dire. Kenza se mit à regretter son comportement ; Warda lui demanda pardon ; quant à leur mère, elle demeura silencieuse, observant d'un œil sévère ce qui se passait autour d'elle. Ravagée par la jalousie et l'envie, elle changeait de couleur et sentait monter la fièvre. De temps en temps, on lui donnait à boire de l'eau fraîche où l'on avait plongé des feuilles d'une herbe connue pour apaiser l'esprit et les nerfs.

Le prince était impressionné par le calme et la sérénité de son épouse. Celle-ci invita finalement Kenza et

Warda, qu'elle appelait « mes sœurs », à venir habiter avec eux au palais. La mère protesta d'abord, puis se résigna. La nouvelle princesse avait des projets pour elles.

Quelques mois plus tard, la princesse Sakina tomba enceinte. Pour fêter l'événement, elle organisa avec son mari un bal dans l'intention de présenter ses sœurs à des gentilshommes qui cherchaient à se marier. Ainsi, après la naissance du garçon, Sakina s'affaira tout autant à la fête du baptême qu'aux préparatifs des fiançailles de ses deux sœurs, qui ne savaient plus quoi faire pour effacer de la mémoire de Sakina leur épouvantable conduite.

Le vieil homme aveugle rendait visite, de temps en temps, à Sakina. Ils marchaient alors volontiers dans le jardin, tandis qu'il lui dispensait ses conseils :

« Voyez-vous, Altesse, il faut savoir renvoyer le mal et la haine à ceux et à celles qui y ont recours. Tenez-vous au-dessus de ces mauvais sentiments, tout en demeurant modeste et simple. Ne laissez jamais l'envie et la jalousie encombrer votre cœur. Si vous les laissiez entrer, elles déposeraient du poison dans vos veines. La bonté, ce n'est pas la faiblesse. Soyez bonne, les gens sauront que vous pouvez aussi être forte – et même impitoyable. »

Elle demanda alors :

« Comment acquiert-on de la force ?

– En étant soi-même. »

Elle lui fit remarquer que, sans l'intervention de sa marraine la fée, jamais elle n'aurait eu accès au palais. Il en convint, et ajouta :

« Oui, un coup de pouce est parfois nécessaire, mais

si vous n'aviez pas eu des dispositions pour être princesse ou reine, vous ne le seriez jamais devenue. La vie vous a maltraitée, en même temps elle vous a montré que le mal est partout présent. La souffrance est une école. La fée a repéré chez vous une force dont vous n'étiez pas consciente. Cela dit, vous croyez vraiment à l'existence de cette fée ?

– Lalla Aïcha ? Bien sûr ! Sinon, comment aurais-je pu me procurer ces robes magnifiques, ces chaussures en cristal si rares, et déployer cette volonté de fer ?

– Admettons. Mais vous ne m'enlèverez pas de la tête que la fée, c'est vous. »

Elle éclata de rire et poursuivit sa promenade avec le vieil aveugle, qui lui recommanda de lire sans délai *Les Mille et Une Nuits*.

7

Hakim à la houppe

Il était une fois une reine appelée Shama. Son esprit et son élégance étaient diversement appréciés. Certains, des courtisans, ne tarissaient pas d'éloges sur sa beauté et sa « grande intelligence », comme ils le disaient volontiers. D'autres trouvaient que sa beauté était superficielle, juste un vernis qui cachait une laideur naturelle. Ils ne s'exprimaient pas en public mais ne se privaient pas de dire ce qu'ils pensaient en ajoutant : « Surtout ne le répétez pas ! » Son mari avait d'autres préoccupations, qui l'absorbaient presque entièrement. Il l'appelait « mon petit cœur » et elle aimait cela. Parfois, il s'interrogeait : « Quand est-ce que mon petit cœur me donnera un héritier ? » Elle répondait toujours : « La réponse est entre les mains de Dieu. »

Le jour où elle tomba enceinte, elle organisa une grande fête dans le palais et invita toutes les femmes enceintes de la ville. Ce fut un moment émouvant où tout lui souriait. Même si la sage-femme eut un malaise, ce jour-là, et resta couchée. Quant au mari, il dut partir au milieu de la fête pour veiller son père qui venait de s'éteindre.

Quelques mois plus tard, la reine accouchait d'un enfant qui ne ressemblait pas aux nouveau-nés que l'on avait l'habitude de voir. Il était noirâtre, plus petit que la normale, tout ridé, et en plus il avait une petite bosse dans le dos. Il avait au milieu du crâne une houppe de cheveux très noirs. Personne n'osait suggérer que l'enfant serait bossu. Les visiteurs ne faisaient aucun commentaire. Un jour que le roi allait et venait dans la chambre, il fit signe à la sage-femme de le rejoindre et lui dit :

« Cet enfant n'est pas normal !

– Vous vous trompez, Sire, il est tout à fait normal. Les bébés ne sont pas beaux tout de suite, il faut attendre quelques jours avant de voir apparaître leurs traits et leur physionomie.

– Non, mon fils n'est pas beau, et je suis certain qu'il ne le sera jamais. C'est quoi, cette touffe de cheveux sur la tête ? Avez-vous déjà vu un bébé arriver au monde ainsi ?

– Sire, ce n'est la faute de personne. »

La reine fit sortir tout le monde de la chambre et se mit à pleurer en se maudissant :

« Qu'ai-je fait de mal pour avoir un enfant si hideux ? Il ne pleure même pas ; seules ses lèvres bougent pour recevoir le sein. »

Une voix de femme lui répondit :

« Arrête de te plaindre. Ce garçon jouit d'un don exceptionnel. Il aura beaucoup d'esprit et de finesse. Il ne sera pas beau, mais son immense intelligence lui donnera une grâce et une élégance rares dans ce monde. Estime-toi heureuse. La laideur et la beauté sont des apparences. L'important, c'est ce qu'il y a derrière, ce qu'il y a dedans. »

La reine arrêta de pleurer et tourna la tête pour voir qui lui parlait.

Elle ne vit personne.

« Je suis la fée Maïmouna, celle qui n'apporte que des bonnes nouvelles, enfin presque... »

La reine, excédée :

« Vous trouvez que cette naissance est une bonne nouvelle ?

– Oui, c'est même une chance. Vous verrez, vous serez surprise par cet enfant. S'il n'est pas comme les autres, c'est un signe du ciel pour vous annoncer que cette naissance est un bonheur ! Soyez patiente. »

Le roi déserta son palais. Il refusa, le septième jour après la naissance, de célébrer cet événement et l'enfant ne fut pas nommé. On n'égorgea même pas un coq. La mère l'appelait « l'enfant », la sage-femme « le garçon à la houppe noire ». L'un des oncles du roi lui fit des remontrances :

« Nous devons accepter ce que Dieu nous donne. Cet enfant est un don de Dieu, tu n'as pas le droit de le refuser, et surtout, de ne pas le nommer. Tu seras puni pour l'avoir ignoré ; tu ne l'as jamais pris dans tes bras ; tu ne l'as jamais considéré. Tu as tort. Je t'ordonne de réparer cette grave erreur.

– Comment ?

– En le nommant ! Un être qui n'a pas de nom n'existe pas. Comment veux-tu le différencier des autres ? »

Le roi décida d'organiser une cérémonie pour nommer l'enfant. Il fit égorger un veau et sept moutons.

Restait à trouver le nom. Son oncle lui suggéra de l'appeler Hakim, ce qui signifie « sage », « qui a de l'esprit ».

Le roi hésita entre ce prénom et Amine, « le confiant », « le fidèle ». La reine choisit Hakim, en espérant que ce garçon apporterait à ce monde un peu de sagesse. Quant à la sage-femme, elle continuait de l'appeler « Houppe noire ». Elle fut congédiée.

Hakim, lorsqu'il entendit pour la première fois prononcer son prénom, fit un grand sourire. Jamais auparavant il n'avait souri. Sa mère en fut très heureuse. Son regard sur lui commençait à changer. Elle ne voyait plus ses défauts physiques. Il faut dire que le sourire de Hakim était enjôleur, charmeur, tout simplement beau.

Hakim était précoce en tout : il marcha dès le septième mois, dit son premier mot à neuf et fit une phrase à douze. À un an, il était propre. Dès qu'il sentait qu'il devait faire ses besoins, il appelait sa nourrice et lui faisait comprendre avec les yeux qu'elle devait le mettre sur un pot de chambre. Cependant sa petite bosse grossissait et sa houppe augmentait de volume.

De nouveau, la fée Maïmouna intervint :

« Coupez-lui cette houppe et massez sa bosse. »

Mais la reine n'osa pas le toucher.

Hakim grandissait en faisant oublier sa laideur par la poésie et la grâce de ses paroles. Il avait aussi de l'humour et savait faire rire ses parents quand ils étaient de mauvaise humeur. Très vite, Hakim devint le pivot de la famille. Tout le monde avait oublié sa houppe, sa bosse, ses petits yeux profonds, ses rictus et sa petite taille. Il était lumière et intelligence. La fée avait eu raison. Désormais, le roi et la reine étaient fiers de leur enfant dont l'esprit rayonnait partout, au point d'être devenu une légende, ou du moins un cas cité en exemple.

Hakim était par ailleurs d'une grande bonté. Que de fois il avait invité au palais des enfants des rues abandonnés, obligeant son père à leur venir en aide ! Sa bonté n'avait d'égal que son sens de la justice. Il lui arrivait d'arbitrer des différends entre voisins ou de faire droit aux demandes d'une femme injustement répudiée. Son père le laissait faire et savait que ses interventions redoraient son blason. Il en avait bien besoin, surtout après avoir perdu la guerre avec le voisin de l'Est.

Le roi aurait bien voulu nommer Hakim prince héritier, mais ce poste était déjà occupé par son frère cadet, qui faisait, en outre, fonction de premier vizir.

Au pays voisin du Nord, une reine accoucha de jumelles. L'une éblouissante de beauté, le teint clair, de grands yeux, une chevelure soyeuse, souriante et calme. L'autre était tout le contraire : petite, chauve, un nez proéminent, toute ridée, criant tout le temps. La mère allait de l'une à l'autre, ne sachant comment s'y prendre ni expliquer l'étrange situation. Elle les dévisageait tour à tour et pleurait. Quand le roi apprit la nouvelle, il se mit en colère :

« Non seulement elle ne me donne pas de garçon, mais elle accouche de deux filles ! C'est un double malheur, une malédiction. Mon frère va être content : je serai obligé d'en faire mon héritier et de lui laisser le trône à ma mort. »

La reine ne disait rien. Elle séchait ses larmes et tournait le dos à son mari. Soudain, on entendit quelqu'un frapper à la porte. C'était inhabituel. Personne n'avait l'accès direct à la chambre du roi et de la reine. Après un instant de silence, la porte s'ouvrit et une femme se présenta, ni vieille ni jeune, couverte d'un voile blanc.

Elle s'avança vers les jumelles. À la surprise générale, elle se présenta :

« Je suis Maïmouna, la fée venue vous apporter de bonnes nouvelles. »

Le roi :

« En fait de bonnes nouvelles, nous sommes comblés !

– Non, Sire, soyez patient et acceptez ce que le destin vous apporte.

– Oui, deux filles, c'est sans espoir… »

La reine toussa puis fit signe à la fée d'avancer :

« Explique-toi !

– Il y a une bonne nouvelle et une moins bonne nouvelle. Par laquelle je commence ? »

Le roi, impatient :

« Qu'importe, parlez…

– La première fille, celle qui est belle, sera une princesse idiote. Excusez-moi, mais je me contente de dire ce que je sais, je ne mens pas et je n'invente rien. »

Le roi :

« Ça ne m'étonne pas ! Fille et idiote, ça va ensemble… »

La reine :

« Sire, ne dites pas de bêtises ! »

La fée réclama un verre d'eau, but, se reposa un instant, puis se dirigea vers le berceau de la deuxième princesse :

« Quant à elle, je suggère, si vous me le permettez, que vous l'appeliez Nour, "lumière", "clarté". Cette fille aura de l'esprit, de l'intelligence et de la bonté. Sa lumière intérieure rayonnera alentour. Elle fera oublier son manque de charme et de beauté. Vous verrez, elle illuminera le monde. »

Le roi, étonné :

« Rien que ça ! Une femme laide va illuminer le monde ! Tu dis n'importe quoi, sorcière ! »

À cet instant précis, deux moineaux frappèrent à la vitre de la fenêtre principale. Ils insistèrent.

Une des domestiques alla leur ouvrir. Les deux oiseaux se transformèrent en anges blancs volant au-dessus du berceau de la princesse laide. La fée claqua des doigts et les anges disparurent. Elle dit :

« Sire, si j'étais une sorcière, aucun ange ne serait entré dans cette chambre. Je suis une fée, pas une entremetteuse du malheur. »

Le tapis, au centre de la chambre, se souleva puis retomba. La fée expliqua que c'était le signal de son départ mais qu'elle avait autre chose à dire auparavant :

« Sire, à la première princesse je ne pourrai donner de l'esprit. Tout l'esprit du royaume a été pris par la deuxième. Mais ce que je pourrai faire pour la belle, c'est de lui accorder un pouvoir : celui de rendre beau tout être qui trouvera grâce à ses yeux. C'est un pouvoir immense. Elle ne devra pas en abuser. »

Le roi, accablé, ne disait plus rien ; il regardait sa femme comme une ennemie, l'origine de son malheur. Il se leva et fit le geste de donner un coup de pied aux berceaux, puis se ravisa et se mit à parler tout seul :

« Autrefois, je les aurais enterrées tout de suite. Autrefois, on ne laissait vivre que les naissances mâles et quelques femelles quand elles étaient protégées par la famille. Mais depuis l'arrivée de l'islam, depuis que le prophète Muhammad a interdit cette pratique, je suis dans l'obligation de vivre sous mon toit avec deux femelles dont l'une, paraît-il, aurait de l'esprit. Je me moque de l'esprit. Ce que je veux, moi, c'est un garçon, un beau et merveilleux garçon. Mais la reine a dû être maudite par je ne sais qui. »

La fée, avant de se retirer, lui donna ce conseil :

« Sire ! Sachez accepter ce que Dieu le Tout-Puissant vous accorde. Vous ne savez pas où se trouve le Bien. Vous ne pouvez pas lire l'avenir. Alors, soumettez-vous et cessez de vous plaindre et de geindre. »

Elle disparut, laissant derrière elle un parfum subtil et doux. Ce qui rendit l'atmosphère plus respirable.

Le roi n'évoquait plus le sujet. Il faisait comme s'il n'avait pas d'enfant. Quand il lui arrivait de rendre visite à la reine, il ne lui demandait pas de nouvelles des princesses. Mais un soir, la reine lui dit qu'il faudrait bien les nommer.

« De qui parles-tu ?

– Mais de tes filles !

– Moi ? Mais je n'ai pas d'enfant ! »

Le lendemain, la reine fit venir son père et le pria d'égorger deux moutons, que l'on aura pris soin de placer en direction de La Mecque, pour nommer les deux filles. La première fut appelée Jawhara, « perle », et la seconde Jamila, « belle ». La cérémonie fut brève. Le roi avait refusé d'y assister. Finalement, la proposition de la fée de l'appeler Nour n'avait pas été retenue !

Avec le temps, Jawhara dit de plus en plus de bêtises. Sa beauté s'évanouit à mesure qu'elle apprenait à parler. Quant à Jamila, sa laideur s'accroissait, mais son esprit ne cessait de se développer et d'impressionner son entourage. Elle était frappée, notamment, d'une sorte d'acné précoce qui rendait son visage tout rouge. Ses yeux étaient si petits qu'elle les cachait sous une voilette. Elle avait du mal à marcher droit. Son corps était tout le temps courbé, et il lui était impossible de se redresser. Mais dès qu'elle parlait, elle charmait son auditoire. Elle était informée des dernières découvertes scientifiques, commentait la vie politique et racontait des histoires drôles et émouvantes.

Autant la reine était fière de Jamila, autant elle était gênée et fâchée par la stupidité de Jawhara. En vérité, elle souffrait en silence, et son mari avait déserté sa couche. Elle s'attendait à voir un jour le roi la répudier pour se remarier avec une autre femme qui lui donnerait le garçon dont il rêvait. C'était l'époque où la polygamie était une pratique courante, surtout chez les rois désireux d'avoir un héritier. On raconte que le père de ce roi avait épousé le même soir quatre femmes aussi belles les unes que les autres. Il coucha avec chacune d'elles et promit de garder celle qui lui donnerait un garçon. Neuf mois plus tard, les quatre femmes accouchèrent chacune d'un garçon. Il les garda toutes les quatre et les installa chacune dans un palais. Pour désigner le prince héritier, il fit venir un vieux sage et lui demanda conseil. Ce dernier lui dit :

« N'en désigne aucun. Dis-leur que le successeur sera celui qui aura démontré sa capacité à écouter les gens, à faire le bien et à servir le peuple sans mensonges ni tricherie. Celui qui aura ces qualités s'imposera de lui-même et ses frères le désigneront tout naturellement. »

Pendant ce temps-là, Hakim, le garçon à la houppe, avait grandi et son aspect devenait de plus en plus affreux. Mais son intelligence faisait des miracles. Il n'était pas comme le roi Salomon qui connaissait le langage des animaux, mais il parvenait à détecter et à interpréter le moindre signe émis par eux. Il en allait de même avec les humains. On ne pouvait rien lui dissimuler : il devinait les pensées intimes des uns et des autres. Quand il arrivait dans une assemblée, les hommes se sentaient nus, leurs défauts devenaient visibles, leurs idées aussi. Il suffisait d'un simple regard de Hakim, et celui qui mentait était découvert. Les gens le craignaient et le respectaient. Il était modeste et facile, n'avait aucun préjugé et faisait tout pour se rendre aimable aux uns et aux autres.

Avec les femmes, les choses étaient plus compliquées. Il les séduisait mais ne parvenait pas à les posséder. C'était un drame qu'il taisait.

Un jour qu'il se promenait dans une clairière, il rencontra Jawhara, la belle idiote. Elle était triste et d'humeur profondément mélancolique. Elle avait tout le temps envie de pleurer. Hakim le comprit au premier coup d'œil. Il lui dit :

« Une femme si belle n'a pas le droit d'être si triste.

– Que vaut la beauté quand elle n'est qu'un voile posé sur des manques horribles ?

– La beauté reste un avantage, surtout pour une femme. Moi, je ne suis pas beau et je n'ai aucun espoir de me réveiller un matin dans un corps superbe. Je suis né difforme et je mourrai difforme. Mais il faut savoir tirer profit de ce qui nous accable. »

Jawhara essuya une larme et dit dans un soupir :

« Ma beauté n'est qu'apparence ; j'aurais aimé être aussi laide que vous et avoir votre esprit.

– Dans la vie, il y a ce que la nature nous donne et il y a ce que nous faisons de ce don pour mieux vivre. J'ai tout de suite accepté ma condition et j'ai voulu en faire un atout. Je sais que l'esprit est un don, mais plus on en a plus on en manque. J'ai cultivé cette intelligence qui m'a été donnée, je l'ai développée jusqu'à en faire le propre de ce que je suis.

– Quelle chance ! Mais j'ai du chagrin car je sais que je suis condamnée à être bête…

– Je peux, si vous le désirez, mettre fin à cette souffrance. Car vous êtes consciente de votre état quand tant d'autres ne se rendent pas compte de leur insuffisance et accablent la société de leur stupide arrogance.

– Donc, vous pouvez m'aider ? Comment allez-vous vous y prendre ?

– J'ai le pouvoir de donner de l'esprit. Si la nature m'a défavorisé, elle a compensé mes défauts avec de l'intelligence. Et j'en ai plus qu'il n'en faut.

– Vous feriez ça ? Me donner un peu de votre esprit ?

– Oui, mais à une condition…

– Mes parents vous combleront d'or et d'argent.

– Non, je n'ai pas besoin de cette chimère-là. La condition est que vous m'épousiez. »

Jawhara fit un pas en arrière, manqua de tomber, puis se ressaisit en étouffant un petit rire.

Hakim, qui n'était pas surpris par sa réaction, ajouta :

« Je vous laisse un an de réflexion. Il faudra vous habituer à cette idée, devenir la femme de l'homme le plus laid de la contrée. Mais en échange, vous aurez de l'esprit et vous serez plus à l'aise en société. Votre beauté aura du sens. »

L'idée de se marier plut à la jeune fille, mais il lui fallait du temps pour s'imaginer dans les bras de cet homme. Elle se dit : « Tant qu'il parle il me séduit, mais dès qu'il se tait je vois tous ses défauts physiques. »

Elle réfléchit, évoqua le projet avec sa sœur jumelle ainsi qu'avec sa mère. Les avis divergeaient.

La mère, réaliste :

« Mes filles, le pire qui puisse arriver à une femme est de finir vieille fille, un peu comme une marchandise dont personne ne voudrait et qui, même si vous l'offriez, vous resterait sur les bras. Alors dites-vous qu'un homme est un homme, qu'il n'a pas à être beau ; s'il est beau, tant mieux, mais ce n'est pas l'essentiel. Pour la femme, c'est différent. Sa beauté est un avantage, parfois c'est même la condition du mariage. »

Jawhara, qui commençait à avoir un peu d'esprit, intervint :

« Oui, mère, un homme est un homme. »

Sa sœur jumelle intervint :

« Je ne cesse de me poser la question : vaut-il mieux être belle et idiote, ou laide et intelligente ? Je ne parle pas de mon cas, il y a longtemps que je me suis résignée : je vivrai jusqu'au bout avec le fardeau de ma disgrâce. C'est ainsi. Je n'y peux rien, et personne n'y pourra jamais rien. »

La reine mit au courant le roi, qui ne fit pas de commentaire. Quelque temps plus tard, Jawhara prit la décision d'épouser Hakim, mais ne l'en informa pas tout de suite, préférant attendre qu'une année fût passée. Le simple fait d'avoir décidé intérieurement de répondre oui à Hakim l'avait rendue moins bête.

La transformation de Jawhara fut éclatante. Elle fut inondée par l'esprit que lui procurait Hakim. Elle parlait peu, mais ce qu'elle disait était beau à entendre. Sa beauté physique était en accord avec ses paroles. La reine n'arrivait pas à croire à ce changement ; quant au roi, il fut ébloui par sa fille, et pour la première fois la prit et la serra dans ses bras en lui disant qu'il l'aimait. Les jeunes gens du palais lui firent la cour, organisant des concours de joutes oratoires afin de la séduire. Quand elle se regardait dans le miroir, elle voyait bien combien la beauté physique pouvait être un leurre. Elle ne se maquillait plus et comptait sur son esprit devenu fécond et brillant pour séduire tout son entourage.

Pendant ce temps-là, Hakim l'attendait.

Heureuse, elle alla un jour faire une promenade dans le bois à côté du palais. Elle rêvait et se voyait ailleurs, dans un autre monde, entourée de gens intelligents et civilisés. Elle marchait, quand elle entendit des voix qui disaient :

« Donne-moi cette marmite… »

« Apporte-moi la chaudière… »

« Allume le feu… »

Elle s'arrêta, regarda autour d'elle, puis, en baissant la tête, vit la terre qui s'ouvrait sous ses pieds. Elle n'eut pas peur ; au contraire, elle était enchantée d'assister à ce miracle. Elle aperçut alors une grande maison où beaucoup de gens s'activaient. De plus en plus étonnée, elle avança et elle se retrouva bientôt nez à nez avec Hakim :

« Chère amie, cela fait exactement un an aujourd'hui que je vous ai fait une proposition. Qu'avez-vous décidé ? »

Elle laissa planer le doute. Elle avait compris qu'il ne fallait pas tomber tout de suite dans les bras d'un homme. L'esprit était décidément bien en marche…

« Je n'ai pas pris de décision. Il est vrai que votre don a changé ma vie, mais plus je réfléchis, plus j'ai du mal à me décider.

– Vous m'étonnez, chère amie ! Si j'ai changé votre

vie c'est pour gagner vos faveurs, c'est pour que nous marchions ensemble en visant le même point à l'horizon, c'est pour partager avec vous tout ce qui rend la vie supportable, belle, merveilleuse. J'ai été patient, j'ai attendu qu'une année passe. J'ai fait des rêves, j'ai imaginé des projets où vous tenez le rôle principal. J'ai élaboré des plans de vie à deux ; j'ai misé sur votre nouvel esprit. Alors, que décidez-vous ? Vous n'allez tout de même pas me faire souffrir ? Vous pouvez y aller, je me suis préparé à tout. Je suis prêt à tout entendre, à tout vivre ! »

Après un instant pendant lequel Jawhara sembla réfléchir, elle dit :

« Avant j'étais bête et je ne voulais pas vous épouser. Ma bêtise ne me rendait pas totalement aveugle. À présent que j'ai acquis de l'esprit, beaucoup d'esprit et de clairvoyance, comment voulez-vous que j'épouse quelqu'un comme vous ?

– Vous n'allez pas me faire regretter ce que j'ai fait pour vous ? »

Elle tourna la tête. Elle avait honte :

« En faisant disparaître mon défaut principal, vous m'avez ouvert les yeux. Ils sont tellement ouverts que je vois de manière claire et nette ce que mon défaut m'empêchait de voir. »

Le doute commençait à creuser son sillon chez Hakim. Il se sentit en difficulté, ce qui ne lui était pas arrivé depuis longtemps. Il se dit : « Je me suis piégé moi-même, tout seul, comme un idiot. » Il demanda alors à Jawhara de lui donner le bras pour marcher dans le bois. Elle hésita un instant, puis lui offrit son bras.

« Dites-moi, chère amie, êtes-vous malheureuse face à mon intelligence, à mon humour, à mon esprit ouvert et généreux ? L'idée d'unir votre vie à celle d'un homme qui ne correspond pas à l'idéal masculin vous déplaît tant que cela ? »

Face au silence de la belle Jawhara, Hakim décida de lui expliquer pourquoi il était né avec une houppe et une bosse :

« Mon père devait se marier avec sa cousine, qui était connue pour sa beauté et sa bonté. Sa mère avait fait la demande en mariage et comme il se doit, les jeunes gens ne se virent pas avant la nuit de noces. Cette cousine s'appelait Hasna ; elle avait une sœur aînée assez laide et sans esprit. Les parents n'arrivaient pas à la marier. Alors, le soir de la nuit de noces de mon père, on lui livra la sœur aînée ! Quand mon père découvrit la supercherie, il était trop tard, il l'avait déjà dépucelée. Impossible de la rendre à sa famille sans sa virginité. Alors, il se tut et ne fit pas de scandale. Je suis son fils unique. J'ai hérité de ma mère sa laideur et de mon père son intelligence et sa droiture. Voilà, telle est mon histoire. »

Ils s'arrêtèrent, Jawhara était triste et émue. Elle avoua qu'elle aimait tout en lui, puis se tut. Hakim sourit, lui prit la main et la baisa :

« Si nous nous marions, je sais que vous me rendrez le plus aimable de tous les hommes.

– Mais comment cela ?

– La même fée qui m'a donné le pouvoir de rendre intelligent celui ou celle que je veux vous a aussi fait le don de rendre beau celui que vous aimerez !

– Vous aimer… »

Elle répéta ces mots, puis s'appuya sur le bras de Hakim et lui murmura à l'oreille :

« Vous avez gagné ! Je ferai de vous le prince le plus beau du monde ! »

Le bois s'éclaira tout à coup et, devant Hakim et Jawhara, s'ouvrit un chemin de lumière. La jeune femme crut voir des anges voler au-dessus de leurs têtes. Elle entendit une musique d'une merveilleuse harmonie. Plus ils avançaient, plus Hakim changeait d'aspect à ses yeux. Il prit quelques centimètres, jusqu'à dépasser sa future épouse d'une tête ; en se redressant, il fit disparaître sa bosse ; ses yeux ne ressemblaient plus à deux trous profonds ; son nez prit une dimension normale et il perdit en même temps cette houppe qui aggravait tant sa laideur.

C'était ainsi que la princesse le voyait dorénavant. Hakim n'avait en rien changé d'aspect physique, mais l'amour transforme une pierre en pomme, une insulte en compliment.

Jawhara eut un doute et se demanda si cette opération d'embellissement n'allait pas le rendre idiot. Comme s'il l'avait entendue parler, il la rassura :

« Ma beauté dépend de vous, comme votre esprit dépend de moi. Tant que vous m'aimerez, vous me verrez beau, il ne tient donc qu'à vous. Nous avons été conçus pour nous rencontrer et nous compléter. C'est cela l'amour !

– Oui, mon prince, nous sommes à présent liés à vie ! »

Il ajouta que les gens confondent beauté et bonté, laideur et méchanceté. Rien n'est déterminé ainsi. Tout dépend de la qualité de l'âme. Il rit et lui dit :

« On peut être bête et méchant, sale et intelligent, beau et voleur, laid et généreux… »

Il lui raconta ensuite l'histoire d'un pauvre bossu

aussi laid que Kracomodi qui, voyant une petite fille marcher au bord d'une rivière où elle risquait de glisser et de se noyer, se précipita et la tira vers lui pour qu'elle marche sur la terre ferme. Des passants ayant assisté à la scène l'arrêtèrent et le rouèrent de coups en l'insultant et l'accusant d'avoir voulu abuser de la fillette. Sa laideur avait été confondue avec de la méchanceté !

Jawhara avoua qu'elle avait, elle aussi, ce genre de préjugé. Elle cita le dicton : « Mieux vaut être riche, beau et en bonne santé que pauvre, laid et malade. » Ce à quoi Hakim répondit : « Personne n'a le choix de son apparence. »

Le lendemain, elle informa son père de sa décision. Le roi donna alors des ordres pour la célébration d'un grand mariage.

Les yeux de Jawhara ne voyaient en Hakim que beauté et qualités. Elle se moquait pas mal de ce que les autres voyaient. Elle aimait son mari, et c'est tout ce qui comptait à ses yeux. Elle aimait par-dessus tout ces longs moments de discussion qui l'aidaient à se débarrasser de ses certitudes et de ses préjugés.

Ils eurent plusieurs enfants, tous beaux et intelligents. Quand beaucoup plus tard Jawhara devint grand-mère, elle aimait raconter à ses petits-enfants l'histoire d'une princesse belle et stupide qui, grâce à l'amour, devint encore plus belle, mais douée d'un grand esprit. Elle tirait de cette histoire une morale : méfiez-vous des apparences ; la beauté est une enveloppe de l'âme ; elle ne se confond pas toujours avec la bonté et la vertu.

8

Petit Poucet

Il était une fois un bûcheron et une bûcheronne, qui travaillaient durement pour joindre les deux bouts. Ils étaient tellement pauvres qu'il leur arrivait de se nourrir des restes que jetaient leurs voisins. Ils avaient sept enfants, âgés de sept à dix ans. Trois fois de suite, la femme avait donné naissance à des jumeaux. Le petit dernier était arrivé seul. Mais il n'était pas comme les autres. Faible, de toute petite taille, il ne souriait pas, et surtout il ne criait pas. On aurait dit qu'il écoutait avec ses petits yeux étranges, des yeux bridés, comme ceux d'un Asiatique.

Il était si petit que son père l'appela « Petit Poucet », car il lui apparaissait de la taille d'un pouce. Ce que la famille considérait comme un mauvais présage ; d'autant plus qu'à cette époque ils passèrent de l'état de pauvreté à la détresse. L'arrivée de Petit Poucet fut donc vécue comme un drame, une sorte de malédiction dont les parents ne comprenaient pas le sens. Ils se considéraient comme doublement frappés par le malheur : trop de bouches à nourrir et un enfant à problèmes. La sage-femme leur dit :

« Ce garçon n'est pas normal. C'est un mongolien, parce que ses yeux sont bridés, et son intelligence sera faible ; en même temps c'est un don de Dieu, vous devez le protéger car il vous protégera. »

À partir de ce jour-là, le père l'appela tantôt Petit Poucet tantôt « le Chinois ». Le premier mot qu'il prononça ce fut « m'golien, m'golien ».

Certains voisins, qui étaient au courant de la situation, déposaient discrètement devant leur porte de la nourriture. Ils ne voulaient pas les blesser en leur faisant l'aumône. Mais tout le monde savait qu'ils avaient trop d'enfants, et l'on se demandait comment ils s'y prenaient pour les nourrir.

Petit Poucet ne réagissait pas aux moqueries de ses frères. Il se taisait et il lui arrivait même d'esquisser un sourire, sa façon à lui de manifester sa bonté ou son indifférence. Mais plus il se montrait bon, plus on le maltraitait. À table, on lui donnait la plus petite part. Parfois, on oubliait même de l'avertir qu'il y avait quelque chose à manger. Il n'en voulait à personne, se réfugiait dans le silence et la solitude. Une femme dit un jour à sa mère, rencontrée au hammam :

« C'est un rejeton de Satan ; il vaut mieux l'éloigner des autres, un enfant pas normal est toujours une source de problèmes. »

En fait, Petit Poucet était intelligent. Comme ses yeux étaient bridés, petits et enfoncés, aucune lumière ne s'y reflétait. Pourtant, ce garçon mal aimé et mal traité savait combien la vie de ses parents était difficile. Et s'il n'en disait rien, il avait deviné que tôt ou tard ses parents seraient tentés de faire quelque chose de mal. Il le sentait sans savoir précisément ce qu'ils allaient entreprendre pour sortir de cet état de grande pauvreté. C'est qu'il voyait avec le cœur et comprenait tout avant tout le monde. C'était son secret.

À l'époque, lorsqu'un enfant était considéré comme anormal, quand il ne réagissait pas comme les autres, et surtout quand il tardait à parler, on l'écartait de la famille. On en avait honte, on le cachait ou, pire, on le jetait dans le premier puits. Les parents qui craignaient Dieu l'emmenaient chez un marabout et le laissaient là quelques nuits, enchaîné à un arbre, espérant que le mal en serait extirpé. Mais Petit Poucet était doué d'un sixième sens qui le mettait à l'abri d'un tel drame. Il était attentif et vigilant, car si son apparence physique le desservait, son cœur et son esprit le sauvaient.

Un soir, alors que tous les enfants dormaient sauf Petit Poucet, le mari dit à sa femme son intention de se débarrasser de leur progéniture. Petit Poucet fit semblant de dormir profondément et suivit la conversation avec une grande attention. Il n'était pas surpris ; il tremblait de peur mais il pensait déjà à une solution.

Le père dit :

« Je n'en peux plus, je n'arrive pas à trouver de quoi nourrir ces sept bouches. Toi, moi, nous pouvons résister à la faim. Mais nos enfants, ils sont faibles, ils ont besoin de lait et de pain, il faut qu'ils mangent tous les jours. Je sais bien que ce que je vais faire est condamnable, je sais que nos parents n'auraient jamais fait ça. L'esprit de nos ancêtres ne nous le pardonnera jamais. Mais que faire quand on voit ses enfants souffrir de la faim ? Que faire quand on est impuissant, sans moyens ? Et puis l'arrivée du “Chinois” est un signe des astres, il faut vite les confier à la forêt. »

La mère :

« Ce que tu me dis m'inquiète. Notre Dieu ne nous pardonnera jamais ; tu te rends compte ? La chair de ma chair abandonnée dans une forêt, jetée en pâture aux loups et aux bêtes sauvages ? »

Le père, de plus en plus agité :

« Je suis prêt à mourir moi aussi plutôt que de laisser la chair de ma chair crever de faim ; au moins, en les abandonnant dans la forêt, il se pourrait qu'une âme charitable les recueille et les sauve de la misère ; il se peut qu'eux-mêmes trouvent à manger ; la faim les obligera à se défendre pour survivre ; moi, je n'ai pas réussi, j'ai honte, j'ai tellement honte… »

Il se mit à pleurer, sa femme aussi. Ils s'endormirent enlacés, leurs larmes ne cessant de couler. Ils furent visités dans leur rêve par un ange tout de noir vêtu. Il tournait autour d'eux en les menaçant des pires châtiments :

« Celui qui abandonne un enfant sera à son tour abandonné par le destin ! Celui qui porte la main sur un enfant périra dans d'atroces souffrances ! »

Très tôt le matin, Petit Poucet se leva et sortit sans faire de bruit. Personne ne se rendrait compte de son absence. Il partit en direction de la forêt qui donnait sur la mer. Ses pas le guidaient vers ce lieu sans qu'il sût pourquoi. Il était convaincu qu'il avait une mission à mener à bien : faire échouer le plan de ses parents et sauver ses frères.

Sur le chemin, il rencontra dans une clairière un vieillard qui donnait à manger à des oiseaux de toutes les couleurs. L'homme leur parlait, extrayait d'un sac du blé et du maïs qu'il jetait dans leur direction. Quand il vit Petit Poucet, sans lui dire un mot il tendit vers lui un pain chaud contenant des morceaux de poulet.

Petit Poucet mangea goulûment et remercia le vieil homme. Au moment de partir, il entendit une voix :

« Où vas-tu ? Tu risques de te perdre.

– Je suis là pour repérer les endroits sombres, là où mes parents ont l'intention de jeter leurs enfants.

– Ce ne sont pas des parents, ce sont des monstres !

– Je sais, mais ce sont mes parents ; je ne peux pas leur manquer de respect. J'ai toujours entendu dire qu'il faut aimer ses parents et ses maîtres d'école : "Tu dois reconnaissance à ceux qui t'ont donné la vie et à ceux qui t'ont appris à lire et à écrire." »

Le vieil homme lui tendit un sac plein de coquillages aux formes diverses :

« Tiens, prends ces merveilleux objets de la mer ; fais-en ce que tu veux, et si tu as besoin d'entendre le bruit de la mer, colle contre ton oreille le plus grand de ces coquillages et tu verras ce que la mer te racontera. »

Petit Poucet le remercia en lui baisant la main, comme il le faisait avec son père, et s'en alla chercher le chemin du retour.

Un rai de lumière le guidait. Il fouilla bientôt dans le sac, en sortit le plus gros coquillage et le plaça contre son oreille. Il entendit alors le bruit des vagues, le murmure de l'écume et le choc de l'eau contre les rochers. Il s'adossa bientôt contre un arbre et, après s'être assis, entendit une voix lointaine :

« Notre mère la lune sera bientôt toute pleine. Elle enverra sur terre et sur mer sa lumière. Elle dérangera les vagues et empêchera les hommes de dormir. Alors toi, l'enfant non attendu, l'enfant non désiré, toi qui n'es pas aimé, toi qui es amour et bonté, sois confiant. Tu sauveras tes frères, tu feras pour eux ce qu'ils n'auraient jamais fait pour toi. Mais c'est ainsi. Tu es au-dessus des médisances. Tu es un prince. Ne l'oublie pas... »

Ces paroles furent suivies de musique. Petit Poucet se leva et reprit sa marche. Quand il arriva à la maison, il aperçut ses parents et ses frères, qui se dirigeaient vers la forêt. Tête baissée, il se joignit à eux sans prononcer un mot. Il déposait tous les dix mètres un coquillage, dont certains arboraient des couleurs phosphorescentes. Ils brillaient de loin.

Le père avançait en tête. Parvenus au seuil de la forêt, il dit :

« Nous allons ramasser du bois, faire des fagots et les ramener au village pour les vendre. Allez, au travail, pas une minute à perdre, passez devant, et surtout, ne vous retournez pas pour voir ce qui se passe derrière vous ! »

Les enfants obéirent et ramassèrent beaucoup de bois. Quand ils eurent fini, les parents avaient disparu. Ils les cherchèrent, les appelèrent. Rien. Que l'écho de leurs cris. Petit Poucet s'était mis à l'écart, il attendait que la surprise fût passée. Un calme soudain régna alors sur ce lieu. Les enfants échangèrent des regards ; certains pleuraient, d'autres, hébétés, ne disaient rien. Ils pensaient que les parents jouaient à cache-cache et attendaient de les voir revenir.

Petit Poucet, qui avait gardé une partie du pain au poulet, le sortit de sa besace et le coupa en sept parts. Il se rendit compte que le pain avait grossi. Tout le monde mangea jusqu'à s'en trouver rassasié. L'aîné, celui qui se moquait souvent de Petit Poucet, eut du remords :

« Excuse-moi, j'ai été méchant, nous avons tous été mauvais avec toi. Tu comprends, tu n'es pas comme les autres. Mais aujourd'hui, je m'aperçois que tu es mieux que nous tous réunis. Tu es généreux et bon. »

Sans faire de commentaire, Petit Poucet leur fit signe de venir avec lui :

« Je vous ramène à la maison. Il suffit de suivre ces coquillages phosphorescents. »

Au fur et à mesure qu'ils marchaient, ils ramassaient ces objets merveilleux. Une fois sortis de la forêt, ils dansèrent et chantèrent. Petit Poucet appliqua sur son oreille le gros coquillage, et il entendit une voix :

« Écus, écus… »

Il comprit que de l'argent était arrivé à la maison. Effectivement, le seigneur du village, cheikh Ahmed, avait envoyé aux parents les dix écus qu'il leur devait ; il les avait accompagnés de poulets et de gros morceaux de viande, de plats de fruits secs, de pots de miel pur et de quelques fruits de saison. Il y avait de quoi nourrir une tribu.

Une fois près de la maison, Petit Poucet, qui était en tête, fit signe aux enfants de s'arrêter pour écouter ce que les parents se disaient. Très vite, l'étonnement et la joie des parents tournèrent à la dispute.

On entendit le père roter et remercier Dieu de ces bienfaits. Mais entre deux rots il fit cette remarque :

« Où sont à présent les enfants ? »

La mère, de plus en plus en colère, se jeta bientôt sur son mari et lui arracha la cuisse de poulet qu'il était en train de manger :

« Mais tu es un monstre, un égoïste, tu ne fais que manger, manger et roter comme un porc. D'ailleurs, tu es un porc. Tu es inhumain, tu ne penses qu'à toi et tu fais honte à notre tribu. Tu imagines ce qu'aurait dit ton père ou ton grand-père en apprenant que tu venais d'abandonner tes enfants aux ténèbres de la forêt ? »

Le mari s'essuya la bouche avec la manche de sa djellaba, rota de nouveau et se leva dans la ferme intention de battre sa femme. Il s'empara d'une grosse bûche et la jeta sur elle. Mais elle l'évita et cria de toutes ses forces :

« Mes enfants, où sont mes enfants ? Dieu ! Ô mon Dieu ! J'implore ton pardon, rends-les-moi ! »

Un coup de tonnerre fendit alors le ciel. Éclair et foudre. La maison trembla. L'instant d'après, on entendit comme un appel au secours :

« Maman, nous sommes là, nous sommes de retour, ouvre-nous, s'il te plaît ; mère, nous sommes tes enfants, nous avons échappé à la forêt, aux loups et aux ogres ! »

Le père, incrédule, dit :

« Ce n'est pas possible. C'est une hallucination. »

Il ouvrit pourtant la porte, et les sept enfants, fatigués, amaigris, entrèrent avant de se laisser tomber par terre tant leur faiblesse était grande.

La mère s'isola dans une pièce et pria Dieu qui avait répondu à son appel. Puis elle leur prépara un bon dîner.

Quand le mari la surprit en train de prier, il éclata de rire :

« Tu crois que Dieu n'a rien à faire qu'à écouter tes appels ? Ce n'est pas Dieu qui les a envoyés, c'est Satan qui nous met de nouveau à l'épreuve. »

Les enfants mangèrent et s'endormirent tout de suite après. Le lendemain, il n'y avait plus aucune nourriture. Pas la moindre miette de pain. Les chats et les chiens étaient passés par là et avaient nettoyé le parterre. Vers la fin de la journée, la faim se fit de nouveau sentir. On entendit le père dire alors :

« Mon estomac a horreur du vide, il proteste en poussant des cris stridents. »

Ce à quoi la mère répondit :

« Si tu étais un homme, un père digne de ce nom, tu ne serais pas là en train de geindre ; tu devrais avoir honte et sortir vite trouver n'importe quel travail pour nourrir ta famille, mais tu n'es qu'un égoïste ! »

La mère se mit alors en quête d'un travail. Elle était prête à nettoyer les parterres des grandes maisons, à laver le linge des autres, à faire n'importe quoi pour nourrir ses enfants. Pendant ce temps-là, le père les réveilla et leur dit :

« Cette fois-ci, nous aurons à marcher longtemps pour trouver de la nourriture ; suivez-moi. »

Petit Poucet, ayant constaté l'absence de sa mère, avait déjà quitté la maison. Ne la trouvant pas, il rebroussa chemin. La porte de la maison était fermée à clé. Il comprit que, de nouveau, le père allait égarer les enfants dans la forêt. Il attendit un moment, puis une voisine lui donna un grand pain et l'informa que toute la famille était partie tôt le matin. Le pain était délicieux, il en mangea le quart et garda précieusement le reste dans sa capuche, puis il se mit en route à la recherche de ses frères. Au lieu de semer des cailloux ou des coquillages, il se servit de son pain pour marquer son chemin. Il marchait sans se rendre compte qu'il s'éloignait de plus en plus de la maison. Quand il décida de rebrousser chemin, il ne retrouva plus les morceaux de pain laissés derrière lui : les oiseaux et autres animaux les avaient mangés. Très vite la nuit tomba, et les ténèbres le plongèrent dans l'effroi. Peur du noir, peur de l'inconnu, peur du silence ou du moindre bruit de la forêt. Il grelottait et sentait monter la fièvre. Cette fois-ci, il était bel et bien perdu.

Il eut l'intuition qu'il fallait s'arrêter et attendre la fin de la nuit. La pluie se mit alors à tomber tandis que le vent agitait avec force et violence les grands arbres. Petit Poucet se compara lui-même à un grain de sable, à une feuille morte, à un caillou enterré sous la boue. Son intelligence était bloquée. La peur lui serrait la gorge et l'estomac. Quand il fermait les yeux, il voyait des monstres, des animaux à deux têtes, des serpents volants, des chauves-souris en tribu, des araignées géantes tissant leur toile autour de lui, des arbres qui se penchaient pour l'écraser. Son instinct de survie le fit grimper en haut de l'un d'entre eux et il se lova sur une grande branche d'où il pouvait apercevoir ce qui se passait au-delà de la forêt. Mais la fatigue était telle qu'il s'endormit immédiatement. Il ne fit ni rêve ni cauchemar, et se réveilla peu après. Il aperçut alors une petite lumière scintiller au loin. C'était une maison d'où sortait la fumée d'une cheminée. Il se dit : « Des gens doivent y habiter, je vais y aller et je serai sauvé ! »

Dès l'aube, il se mit en route. Quand il arriva devant la maison, il eut un pressentiment et un doute : « D'habitude je vois avec mon cœur, et là, je ne vois rien. Peut-être cette maison est-elle un piège, peut-être même qu'elle n'existe pas et que je suis victime de mes hallucinations… Je suis perdu, perdu… Je ne vois que du noir et ne distingue plus rien de précis. »

Il répétait ces mots quand il entendit une voix de femme s'adresser à lui :

« Bienvenue, petit ! Tes frères sont là, ils t'attendent !

Viens, n'aie pas peur, ce n'est qu'une petite maison où habite mon époux, un ogre ; mais pas n'importe quel ogre ; il est merveilleux, il ne se nourrit que de la chair fraîche des enfants, approche, entre… Mais qui es-tu ? Tu n'es pas comme les autres ! D'où viens-tu ? Pourquoi tes yeux sont-ils si petits et ont-ils la forme d'un trait ? »

Petit Poucet lui dit :

« Je viens de loin, là où le soleil ne se couche jamais, là où les sources d'eau ne tarissent pas, là où l'homme est un loup et la femme une démone. Voilà d'où je viens. Si tu t'approches de moi, il t'arrivera un grand malheur. »

La femme recula et cria :

« Satan est là ! »

Les enfants étaient attachés et pleuraient en silence. L'ogre apparut, ni grand ni petit. Ce n'était ni un monstre effrayant ni un animal difforme ; c'était un homme quelconque, un homme que l'on remarquerait à peine. Il avait de l'embonpoint et affichait un air de bon père de famille. Rien dans son apparence physique ne le désignait comme un mangeur d'enfants.

Petit Poucet comprit vite qu'un ogre n'avait pas besoin d'avoir une apparence monstrueuse pour être féroce. La beauté et la bonté, comme la méchanceté et la laideur, ne vont pas toujours de pair. On peut être beau et se comporter comme un criminel. Il observa cet ogre et se demanda où le mal, en lui, se nichait.

Quand l'ogre cria à sa femme : « Femme ! Donne à bouffer à ces petits, il faut bien les engraisser ! J'ai un appétit d'ogre ! », il éclata de rire, un rire bien gras et bien lourd. Une haleine de pourriture emplit la maison. Cet homme était pire qu'une bête.

Elle jeta par terre, à leur intention, une bouillie infecte préparée avec des graines de fenouil grec connues pour faire grossir. Il y avait aussi quelques morceaux de viande avariée. Les enfants mangèrent comme s'ils étaient des animaux. Petit Poucet en profita pour glisser dans l'oreille d'un de ses frères qu'il avait un plan pour les sortir de là et qu'il leur fallait être patients et silencieux.

L'ogre avait sept filles particulièrement laides. On pouvait croire que la nature s'était vengée sur elles. Plus le père commettait de crimes, plus leur laideur s'accentuait. Elles sentaient mauvais, avaient des dents longues et pointues, elles étaient méchantes entre elles, frappaient leur mère, et lorsqu'elles se trouvaient en face d'autres enfants, elles se jetaient sur eux et suçaient leur sang. Leur père les adorait et les regardait comme des princesses, belles, intelligentes, superbes. Il les couvrait de bijoux. Ainsi dormaient-elles, chacune, avec un diadème en or sur la tête.

Au milieu de la nuit, Petit Poucet vola ces diadèmes et les remplaça par les bonnets de ses frères. Il revint se coucher, s'imaginant l'horreur qui allait s'ensuivre. Sans attendre le massacre que l'ogre allait commettre, Petit Poucet réveilla ses frères en leur faisant signe de ne faire aucun bruit. Ils quittèrent la maison sur la pointe des pieds sans que quiconque se rendît compte de leur fuite. Petit Poucet se tenait en tête et marchait d'un pas rapide pour s'éloigner de cette maison de malheur.

Pendant ce temps-là, l'ogre égorgea ses sept filles, les prenant pour les garçons qui s'étaient égarés. Quand il s'aperçut de son erreur, il se mit à hurler de toutes ses forces jusqu'à réveiller tout le village. Le sang coulait partout ; la mère se griffa plusieurs fois le visage, comme pour se punir d'avoir manqué de vigilance. Le mari pestait et jurait de découper en mille morceaux les gamins qui lui avaient joué ce tour. La mère se frappa ensuite la poitrine jusqu'à s'évanouir et tomba sur le sol où le sang était encore chaud. Elle entendit vaguement son mari réclamer ses bottes de sept lieues pour rattraper les enfants. Mais elle était incapable de réagir. Quand elle revint à elle, elle était couverte de sang et ne savait pas si c'était le sien ou celui de ses filles. L'ogre redoubla de férocité, abandonna sa femme à son immense chagrin, chaussa les fameuses bottes et partit en hurlant.

Petit Poucet et ses frères étaient loin à présent, mais pas hors de danger. Ils entreprirent bientôt de se cacher sous un rocher, dans une sorte de grotte. L'ogre, désespéré et fatigué, s'assit sur ce rocher pour aiguiser ses nombreux couteaux. Il parlait tout seul :

« En perdant mes filles, je risque de perdre mon pouvoir. Il faut les venger avant le coucher du soleil, sinon je ne serai plus rien, je n'aurai qu'à me tuer ou à devenir un ours méchant. Mes sept filles étaient mon capital, ma raison de vivre et de tuer, ma vocation d'ogre absolu et sans pitié. Maintenant qu'elles ne sont plus de ce monde, je vais mourir, mais avant je tuerai ces bâtards qui m'ont humilié. Ma vengeance sera terrible. »

Petit Poucet et ses frères entendirent tout cela. Tous tremblaient de peur. Soudain, il se fit un silence profond suivi de ronflements aussi sonores que des coups de tonnerre. L'ogre s'était endormi. Petit Poucet sortit en rampant et vit que l'ogre était devenu inoffensif, plongé dans ce sommeil soudain. Il jeta une pierre sur lui. Aucune réaction. Il revint à la grotte et fit signe à ses frères de le suivre. Il fallait lui retirer ses énormes bottes. Ils se partagèrent le travail, tirèrent de toutes leurs forces et parvinrent à extraire de ses pieds ces engins qui lui permettaient d'aller si loin si vite.

À cet instant précis surgit un djinn, mi-homme mi-cheval, fin et racé, l'œil rieur et les mains tendues. Petit Poucet fut surpris, se méfia d'abord puis se rapprocha du djinn :

« Qui t'envoie ?

– Voilà une question à ne pas poser ! Que t'importe qui m'envoie ! Je suis là en mission pour vous aider à sortir de cette trappe.

– Que proposes-tu ?

– Vous avez bien fait de lui retirer ses bottes. Donnez-les-moi, je vais les détruire, et quand il se réveillera il ne pourra plus les chausser et courir. Je te suggère de t'installer sur ce tapis merveilleux qui te mènera là où tu veux. »

Tel un prestidigitateur, le djinn claqua des doigts : apparut alors un tapis magnifique.

Petit Poucet demanda à ses frères de se cacher de nouveau dans la grotte, s'installa sur le tapis, qui prit son envol à une vitesse impressionnante. Le djinn se plaça à l'entrée de la grotte et joua de la flûte. Quant à l'ogre, il changea de position tout en continuant de ronfler de plus en plus fort.

Le tapis déposa bientôt Petit Poucet devant la maison de l'ogre, où il trouva la femme en pleurs. Elle déchirait ses vêtements et se cognait la tête contre le mur.

« Ô madame ! Votre mari est en danger ; il m'a envoyé vous dire qu'il faut me confier tout l'or et l'argent que vous possédez ; sinon, les voleurs qui le tiennent attaché, mains et pieds liés, le découperont en morceaux. L'affaire est sérieuse. Moi, je ne suis qu'un messager, mais les voleurs s'en sont pris à mes frères, qui sont eux aussi en danger.

– Comment es-tu venu jusqu'ici ?

– Les voleurs lui ayant retiré ses bottes, il m'a donné ce tapis volant. »

La femme eut du mal à le croire. Alors, Petit Poucet se mit à pleurer pour lui prouver qu'il disait la vérité. Elle insista :

« Les voleurs veulent tout l'or et tout l'argent que nous possédons ?

– Oui, madame. Tout. Il faut vous dépêcher, car à la tombée de la nuit, ils l'égorgeront. Nous avons peu de temps, et puis le tapis ne vole qu'à la lumière naturelle. »

Elle regarda le ciel, le soleil n'était pas très loin de l'horizon. Il ne faudrait pas attendre plus d'une petite heure avant qu'il se couche. Elle revint à la charge :

« Donne-moi une preuve : dis-moi où se trouvent l'or et l'argent. »

Petit Poucet réfléchit une fraction de seconde et entendit quelqu'un murmurer à son oreille : « … dans la tombe de ses parents. » C'était le djinn qui lui dictait cette réponse.

« Il m'a dit que l'or et l'argent sont dans la tombe de ses parents. »

La femme lui répondit alors :

« Cette fois, je te crois. »

Elle alla derrière la maison, déterra deux sacs en toile et les remit à Petit Poucet. Avant qu'il s'installe sur le tapis, elle lui demanda pourquoi ses yeux étaient bridés.

« Parce que je suis chinois, madame. »

Il s'envola et arriva en quelques minutes à l'endroit

où ses frères l'attendaient. L'ogre dormait toujours. Le djinn avait disparu. Les sept enfants prirent place sur le tapis, qui les mena à la maison de leurs parents. La lumière et le vent les avaient poussés.

Petit Poucet déposa devant sa mère les deux sacs pleins d'argent et d'or, et lui dit :

« Fini le temps de la faim et de la pauvreté. Je te confie cette fortune, et surtout ne la donne pas à notre père qui est paresseux et n'a jamais cherché à travailler. »

La mère se plaça au milieu de ses enfants et leur dit :

« Je vous aime tous, mais j'ai un faible pour le plus petit d'entre vous, celui qu'on n'attendait pas, celui qui est arrivé avec quelques handicaps, pas beau, pas grand, et sans défense. Avoir beaucoup d'enfants n'est pas un malheur, au contraire, c'est une chance qu'il faut savoir faire fructifier. Petit Poucet est né différent. Au début il ne parlait pas ; vous vous moquiez de lui, certains s'en méfiaient, les gens le trouvaient étrange ; à peine un être humain, disait-on ; ils auraient voulu que je le cache ou même que je le jette dans un puits. Un membre de notre famille m'a même dit qu'il porterait malheur et qu'il était l'envoyé de Satan pour nous mener vers des catastrophes. Tout cela, ce sont bien sûr des bêtises. Cet enfant pas comme les autres est celui qui vient de nous sauver de la misère. C'est lui qui apporte la prospérité et la paix à notre famille. Cet enfant est un don de Dieu. C'est le prophète du bonheur, de la vérité et de l'imagination. C'est grâce à sa bonté, à son intelligence et sa grande imagination qu'il nous a tous sauvés. Il est différent mais humain, très humain. »

Les six enfants s'emparèrent de leur petit frère et le hissèrent en criant :

« Vive Grand Petit Homme ! Vive notre frère le plus beau, le meilleur d'entre nous ! »

La mère essuya une larme. Quant au père, il prit une pelle et une pioche et dit :

« Je vais au travail. »

9

Peau d'Âne

Il était une fois un roi fou d'amour pour Sundouce, la dernière femme qu'il avait épousée. Non seulement sa beauté faisait baisser les yeux des hommes par son éclat et sa grâce, mais elle incitait les oiseaux à quitter leurs nids pour chanter au-dessus de sa tête et à l'accompagner chaque fois qu'elle se déplaçait dans les jardins du palais. On parlait de la belle Sundouce comme d'une évidence qui avait changé de fond en comble la vie du roi. Il entreprit bientôt de fermer son harem constitué de douze femmes, chacune représentant une région de son royaume. Il y avait là huit brunes, trois blondes et une rousse. Il les aimait bien grasses et les obligeait à manger des féculents afin de les faire grossir. Certaines, trop minces, suivaient un régime au fenouil grec. L'arrivée de Sundouce avait été un bouleversement pour elles.

Le roi ne les renvoya pas chez elles mais il les libéra, leur offrit des cadeaux et leur trouva même des maris dans le palais. Son amour pour Sundouce était tel qu'il était prêt à tout pour lui prouver combien elle était unique à ses yeux. Ses proches ne le reconnaissaient plus.

Son mariage rendit le roi plus clément avec ses

sujets, plus attentif aussi aux problèmes de son peuple. Car cette merveilleuse épouse était issue d'un milieu modeste et lui laissait entendre qu'il y avait bien des choses à changer dans sa façon de gouverner le pays. Finie l'époque de l'arbitraire, des passe-droits, des privilèges scandaleux, finies les soirées de débauche qui faisaient tant de bruit dans les chaumières, terminés le gaspillage des richesses du pays et le triomphe de l'égoïsme dont il était interdit de parler sous peine de moisir en prison pour atteinte à la personne sacrée du roi et de sa famille.

Le roi avait changé. Sundouce l'avait changé. Il renvoya certains de ses vizirs connus pour leur incompétence, et surtout rompus à toutes les formes de corruption. Il réorganisa son gouvernement et interdit les conflits d'intérêt. Il écoutait attentivement sa femme et faisait ce qu'elle lui demandait de faire pour améliorer le sort de la population.

Le reste du temps, il le passait dans les bras de Sundouce, qui savait comment lui donner du plaisir et qui lui apprenait que l'amour était autre chose qu'une suite de copulations. Le roi découvrait la douceur et la belle lenteur de l'acte amoureux. Cela le rendait meilleur et fit de lui un homme de qualité.

Il y avait un certain âne, ni grand ni petit, d'apparence presque insignifiante, un âne installé dans une belle pièce à l'entrée du palais et que personne n'avait le droit de taquiner ou même de toucher. L'âne ne manquait de rien. On lui servait la meilleure herbe, les meilleurs légumes, on lui donnait à boire une eau de source, et l'on prenait souvent sa température pour intervenir au plus vite en cas de maladie.

Sundouce avait du mal à comprendre les égards dont on entourait cet animal. Elle aimait bien les ânes et les chevaux, mais pourquoi tant de privilèges ? Un jour, elle en parla à son mari, qui sourit puis lui dit :

« Cet animal est un trésor, il paraît qu'il est le fruit d'un métissage étonnant, il paraît qu'il parle mais je ne l'ai jamais entendu, cependant il comprend notre langue. Demain je vous montrerai ce que nous donne cet âne, et vous serez étonnée. »

Le lendemain, après s'être renseignés sur l'heure à laquelle l'animal se soulageait, le roi et sa femme se présentèrent devant lui. Un des gardiens murmura quelque chose à son oreille. L'âne hocha alors la tête et libéra de son derrière des pièces d'or en quantité importante. Elles brillaient au soleil et dégageaient en même temps un parfum agréable.

Sundouce fut impressionnée. Le roi se pencha, ramassa quelques pièces et les offrit à sa belle :

« Touchez, elles sont encore chaudes ! »

Elle demanda s'il était doué de parole. Le gardien opina. L'âne l'imita et éclata de rire.

« Ce n'est pas un âne comme les autres, c'est un Maître Âne ! » dit Sundouce.

Le roi lui répondit :

« Avec cet or nous construirons des routes, des écoles, des hôpitaux. Nous ferons le bien autour de nous. »

Sundouce voulut connaître l'histoire de cet âne. Son mari la prit par le bras et, tandis qu'ils faisaient leur promenade dans les jardins du palais, il lui dit :

« Ma chère, dans la vie, il y a parfois des choses qu'on ne peut ni comprendre ni expliquer. Cela fait longtemps que j'ai renoncé à tout comprendre. Mon père, un grand sage, me disait toujours : "L'intelligence, mon fils, c'est l'incompréhension du monde." C'était un philosophe, qui était aimé de son peuple. Enfin, un jour, un paysan, pour le remercier d'être intervenu pour que justice soit faite dans une affaire de terre volée, lui offrit cet âne. Mon père fut étonné de ce présent. Le paysan lui dit : "Sire, c'est tout ce que je possède, permettez-moi de vous l'offrir. Une fois ma terre récupérée, j'aurai de quoi acheter tout un troupeau ; cet âne était égaré, je l'ai recueilli chez moi hier, et comme il s'agit d'une belle bête, acceptez je vous prie ce cadeau."

« Le paysan ne savait pas que son âne fabriquait de l'or. Mais mon père sentit que cet âne avait quelque chose de différent par rapport aux autres animaux. Ce fut lui qui l'installa dans cette pièce et désigna Brahim pour s'en occuper.

« La première fois qu'il donna des pièces d'or, Brahim perdit connaissance, sa femme se précipita chez le grand vizir pour lui demander de venir constater ce fait extraordinaire. Quand on en informa mon père, il ne fut pas surpris. Il me dit : "Je savais, mais je n'osais pas le dire." »

Sundouce ne répondit qu'une phrase :

« Vous avez raison, je renonce à comprendre ! »

Lorsque Sharazade naquit, le roi donna une fête où furent invités tous les couples ayant enfanté ce même jour. Le palais se remplit de gens de toutes conditions. La générosité du roi était sans limite. L'argent ne provenait pas de la caisse du pays, mais avait été prélevé sur ses propres économies. Certains s'étonnèrent de l'éclat donné à une naissance féminine. Mais le roi décréta bientôt la fin de toutes les discriminations pesant sur les femmes et désigna un haut conseil pour réformer le code de la famille. Les religieux n'étaient pas contents. Certains n'hésitèrent pas à le dire, et en termes sévères, à l'occasion du prêche de la prière du vendredi. Le roi les convoqua alors et leur lut certains versets du Coran, dans lesquels Dieu ne fait pas de différence entre l'homme et la femme. Le plus vieux des imams récita à son tour des versets qui affirment le contraire. Alors, le roi eut le courage de dire : « Certes, mais Dieu est juste et il prône l'égalité des droits entre les croyants et les croyantes. »

L'incident était clos. Et le nouveau code de la famille fut adopté quelques mois plus tard, même si certains religieux continuaient de s'y opposer dans les mosquées et au sein d'associations pour le Bien et la Vertu.

Sundouce était fière d'avoir inspiré tant de sagesse et de bonté à son mari. Sharazade, elle, était aussi belle et aussi intelligente que sa mère. Le roi passait du temps avec elle, lui racontait des histoires, se promenait avec elle dans les jardins du palais et surveillait de près son éducation. Tout allait bien.

Tout, sauf la santé de Sundouce : elle toussait trop souvent et perdait du poids. Les médecins accoururent de tout le pays, mais son état se dégradait de jour en jour. Le roi se cachait pour pleurer.

Il fit venir de l'étranger des professeurs de médecine, des spécialistes en pneumologie. Mais ils repartaient tous en lui disant leurs regrets. Il n'y avait rien à faire. Le mal avançait, et Sundouce perdait son éclat. La fièvre ne baissait pas et la pauvre entrait dans des délires qui n'annonçaient rien de bon.

Juste avant de mourir, Sundouce fit une recommandation au roi :

« Je vous demande pardon de vous quitter si tôt, mais notre vie est entre les mains de Dieu Tout-Puissant. Je vous prie de continuer de vivre et de vous occuper comme vous l'avez toujours fait de notre fille bien-aimée ; surtout, remariez-vous… »

Alors, en larmes, le roi protesta :

« Non, jamais, jamais je ne me remarierai, jamais je ne vous remplacerai, aucune femme n'est digne de coucher dans votre lit…

– Non, Sire, vous allez vous remarier, mais promettez-moi qu'elle sera plus belle, meilleure que moi !

– Mais aucune femme ne saurait être plus belle ni meilleure que vous… »

Les derniers mots de Sundouce furent : « Pardon, tenez votre promesse, pardon, Sire, mon aimé… »

Elle mourut en plein hiver. Le pays était couvert d'une neige épaisse. La population avait beaucoup de chagrin. Des femmes de toutes conditions vinrent au palais lui rendre un dernier hommage. Une grande tristesse régnait dans le pays. Le roi ne sortait plus, ne réunissait plus ses conseillers et ses vizirs. Il ne recevait plus personne. Pour lui le désastre était immense, et il ne voyait pas comment survivre à cette perte.

Maître Âne, de son côté, ne donnait plus d'or ; il pleurait en silence. Quant à Sharazade, elle prit vite les choses en main et remplaça sa mère à la tête des associations de défense des droits des femmes. Elle était vive et belle, légère et lumineuse. Même si son chagrin était profond et vrai, elle le dépassait par l'action, ce qui obligea bien vite son père à sortir du deuil et à se remettre au travail pour achever les projets initiés par sa défunte épouse. Et comme par miracle, l'âne se remit à donner de l'or une fois tous les deux jours.

Le temps passait, mais le souvenir de Sundouce restait aussi vivace qu'autrefois. Le roi eut même des visions, on dirait aujourd'hui des hallucinations. Quand il regardait sa fille, il voyait sa défunte femme. Certes, elles se ressemblaient beaucoup, mais pas au point qu'on les confondît. Le roi prit pourtant l'habitude de voir se dessiner les traits de sa femme sur ceux de sa fille. Quand il la prenait dans ses bras pour lui faire des câlins, il la serrait si fort contre lui qu'elle s'en trouvait gênée. Sharazade comprit que son père commençait à perdre ses repères, et elle évita dorénavant de se laisser attirer dans ses bras. Il était clair qu'il ne la caressait plus comme un père mais comme un homme désirant une femme. Elle eut du mal à accepter cette idée que son intelligence doublée d'une grande intuition lui avait inspirée. Mais elle n'avait personne à qui se confier. La nuit, elle avait des insomnies et pensait que son père, qui n'arrivait pas à oublier sa femme, pourrait un jour commettre l'irréparable dans un moment de folie. Elle se disait précisément cela, un soir, quand elle entendit frapper à sa porte. Elle se leva et demanda :

« Qui est là ? »

Une voix de femme lui répondit :

« Je suis Chemsi, la vieille Chemsi. »

C'était une fée. Sharazade ne croyait pas aux fées. Elle s'en méfiait, même. Mais Chemsi s'était occupée d'elle quand elle était petite. Elle la considérait comme sa nounou.

« Ma fille, je sais que tu ne dors pas. Je t'ai apporté une tisane pour éloigner de toi l'insomnie. Et je sais pourquoi tu as du mal à t'endormir. Je sais tout, mais attendons pour voir. En tout cas, je serai là si tu as besoin de moi. »

Elle s'éloigna. Sharazade but la tisane et tomba dans un sommeil profond.

Le lendemain, le roi convoqua sa fille pour lui parler. Elle prit soin de changer d'apparence. Elle fit teindre sa superbe chevelure blonde en noir, s'habilla de vêtements sans élégance et se présenta au roi comme si elle était une étrangère. Pourtant, si elle s'était appliquée à s'enlaidir, elle n'y avait pas vraiment réussi. Son apparence négligée eut même l'effet contraire à celui escompté : son père lâcha un cri sauvage en tendant vers elle ses bras.

« Mais tu es encore plus belle qu'avant ! »

Elle fit un pas en arrière, de peur qu'il la serrât contre lui.

« Approche, ma fille, j'ai quelque chose à te dire. »

Elle s'assit dans un fauteuil en face de lui et dit, en baissant les yeux :

« Je vous écoute, père.

– Ta maman, juste avant de rendre son dernier souffle, m'a demandé de me remarier, ce que j'ai refusé. Elle a insisté, en posant cependant une condition, bien difficile à remplir : que ma nouvelle épouse soit plus belle qu'elle. Or, tu sais bien, ma fille chérie, qu'aucune femme ne saurait être plus belle que ta mère.

– Alors ne vous remariez pas ! dit-elle sur un ton sec.

– Ma fille, je n'aime pas ce ton.
– Excusez-moi, père. Continuez.
– Je ne peux pas ne pas me marier, notre religion m'y oblige, et puis mon peuple ne comprendrait pas… Je sais qu'il souhaite que je donne au trône un héritier… J'ai réfléchi. J'ai fait faire des enquêtes dans tout le pays. Impossible de trouver une femme plus belle que Sundouce. Alors, l'autre nuit, dans mon sommeil, une idée s'est imposée à moi : plus belle que Sundouce, il n'y a que toi, ma fille. Tu as ses grands yeux, cette superbe chevelure, sa taille si fine et si délicate, tu as sa démarche et son élégance, tu as son intelligence et son humour, bref, tu as tout d'elle et tu es la digne représentante de sa beauté et de sa bonté. C'est pourquoi j'ai décidé de t'épouser. »

À ces mots, Sharazade sursauta, se leva et, en larmes, prit la fuite.

Le roi s'était entretenu avec un théologien dépêché de La Mecque. Se marier avec sa propre fille était strictement interdit par la religion. Ce serait, lui avait dit ce spécialiste, contraire à toutes les lois et pourrait même provoquer des catastrophes naturelles comme des tremblements de terre ou des inondations, qui ruineraient le pays pour toujours. Il cita le verset 23 de la sourate « Les Femmes » : « Vous sont interdites : vos mères, vos filles, vos sœurs, vos tantes paternelles, vos tantes maternelles, les filles de vos frères, les filles de vos sœurs, vos mères qui vous ont allaités, vos sœurs de lait, les mères de vos femmes, les belles-filles placées sous votre tutelle, nées de vos femmes… »

Le roi, conscient de l'audace de sa démarche, essaya de faire croire à l'imam que Sharazade ne serait pas sa fille, que Sundouce était arrivée au palais déjà enceinte.

Il finit par croire à son propre mensonge et fit courir le bruit que s'il avait décidé d'épouser Sharazade, c'était parce qu'il avait découvert qu'elle n'était pas sa progéniture.

Sa détermination était forte. Il lança une enquête dans la famille de sa femme pour vérifier ses dires. Les hommes dépêchés pour faire ces recherches revinrent avec le nom et l'adresse du prétendu géniteur de Sharazade. Il s'agissait d'un orphelin, cousin de Sundouce, qui avait été élevé avec elle et aurait abusé d'elle quand elle avait atteint l'âge de la puberté.

L'histoire avait été si bien ficelée que plus personne ne blâmait le roi, et cela d'autant plus que, par sa beauté, sa fille répondait parfaitement aux conditions posées par la défunte. Seuls les religieux disaient leur mécontentement, mais aucun d'eux n'osait porter la contradiction au roi. L'un d'eux, pourtant, leur doyen, proposa au roi la solution suivante :

« Sharazade n'est ni votre fille ni celle de votre défunte épouse. Vous l'avez trouvée un jour dans un panier au seuil du palais. Vous l'avez adoptée par charité et parce que votre cœur ne pouvait supporter de voir une enfant innocente abandonnée. À la limite, vous pouvez l'épouser, si toutefois on parvient à démontrer qu'elle provient d'un pays lointain. »

Cette hypothèse séduisit le roi, et il décida d'y croire.

Mais Chemsi, qui était alors loin du palais, sentit que des choses étranges se tramaient et que la petite avait besoin d'elle ; elle se rendit donc au palais. Elle trouva Sharazade dans un état inquiétant, pleurant à gros sanglots, tremblant et déchirant ses vêtements.

« Ma fille, n'aie crainte, j'ai un plan pour que tu

échappes à ce traquenard. Il suffit de me faire confiance, et tu verras que le mariage n'aura jamais lieu. Dans un premier temps, change d'attitude, obéis à ton père mais, puisque ta mère a posé ses conditions, après tout, s'il tient à ce mariage contre nature, il devra s'y conformer et cela prendra du temps. Ah, le temps ! Voilà ce qui va nous sauver. »

Devant l'exclamation de Chemsi, Sharazade cessa de pleurer, sécha ses larmes et sourit, car elle eut l'intuition qu'elle allait sortir de ce piège. Il allait falloir se battre, ne pas affronter le roi directement mais jouer avec habileté pour le faire renoncer à cette folie.

« Ma fille, va voir ton père, dis-lui que tu as décidé d'être soumise et obéissante, et d'une voix douce exige, pour pouvoir répondre à sa demande, qu'il te fournisse une robe extraordinaire, peu importe le tissu, l'essentiel étant qu'elle soit de la couleur du temps. »

Sharazade, intriguée, regarda la vieille fée d'un œil inquiet.

« Ma fille, quelle que soit la richesse du roi, quelle que soit l'étendue de son pouvoir, il ne parviendra pas à trouver une robe de la couleur du temps. »

La demande fut faite. Le roi, qui ne comprenait pas à quoi correspondait cette couleur, convoqua tous les grands tailleurs de la capitale et leur donna vingt-quatre heures pour lui apporter cette robe.

Parmi les tailleurs, il y avait un certain Amrane Al-Kohen, un juif qui comprit tout de suite ce qu'était la couleur du temps. Il se retira alors dans son atelier et réunit sans tarder plusieurs morceaux de tissus de couleurs différentes reproduisant exactement les couleurs du ciel en ce jour. Il y avait là un bleu azur très subtil, un blanc tirant vers le gris pour représenter les nuages, puis un blanc cassé pour assurer la liaison entre le gris et le blanc. La robe fut taillée et cousue de fils d'or. Ce tailleur, qui appartenait à la grande famille des juifs d'Espagne qu'Isabelle la Catholique avait expulsés en 1492 et qui s'étaient spécialisés dans la soie et le fil d'or, était le seul à en posséder dans la capitale.

Lorsque Amrane arriva au palais, le roi le reçut tout de suite et fit appeler sa fille. Elle trouva la robe très belle et remercia le couturier avant de s'éclipser pour rejoindre Chemsi qui l'attendait dans la pièce d'à côté. Effectivement, la robe correspondait aux couleurs du temps qu'il faisait ce jour-là. Chemsi soupira longuement, mais décida de ne pas renoncer :

« Tu pourrais dire que ce n'est pas cela la couleur du temps, mais ça ne servirait à rien puisque ce tailleur se débrouillerait pour trouver une solution. Alors, tu vas lui réclamer une robe plus brillante, et surtout avec un tissu moins commun, disons une soie importée du pays de la plus haute montagne, une robe qui aurait l'éclat de la lune et la couleur de la Voie lactée. »

Sharazade répéta les mêmes mots au roi, qui convoqua le grand rabbin de la ville et lui intima l'ordre de trouver un tailleur plus doué qu'Amrane et de le faire venir sans délai.

Le grand rabbin, qui tenait à assurer les bonnes relations qu'entretenaient alors les juifs et les musulmans, alla rencontrer Moché, le brodeur et couturier le plus expert de la communauté. Il était très âgé et ne travaillait plus. Mais il ne pouvait pas refuser une demande du roi, qui avait toujours protégé et aidé les juifs natifs de ce pays. Il suivit donc le grand rabbin, et reçut les ordres du roi. Il répéta :

« Une robe en soie des plus hautes montagnes, couleur

de la lune et de la Voie lactée… Bien, Sire, ce sera fait. Que Dieu vous garde et vous donne longue vie… »

Deux jours plus tard, la robe était là, plus brillante que la lune et ses étoiles. La soie était d'une douceur exceptionnelle. Le roi était content et fit remettre à Moché une pochette pleine de pièces d'or, que celui-ci refusa en disant :

« Sire, j'ai eu de la joie à vous rendre service. Je ne veux pas laisser corrompre cette joie et ce bonheur par des pièces d'or. Je vous prie, Sire, de m'en excuser, mais donnez cet argent à ceux qui en ont plus besoin que moi, même si je sais que votre fille est très soucieuse des nécessiteux et fait beaucoup pour leur rendre la vie moins pénible. Je vous remercie, Sire. »

Le roi, touché par la réaction de Moché, envoya ses meilleurs ouvriers pour entreprendre la restauration d'une des dix synagogues de la capitale. Cette fois-ci, il en était convaincu, Sharazade ne trouverait rien à redire. Et effectivement, elle fut stupéfaite par la beauté et la luminosité de la robe. Qu'inventer encore pour le décourager ? Elle se retira, prétextant d'essayer la robe, et s'en fut parler avec la fée, qui lui conseilla de persévérer dans sa détermination et de réclamer des choses de plus en plus difficiles à trouver. Elle lui conseilla aussi de continuer de faire mine d'être consentante et de se conduire comme une petite fille obéissante et décidée à rendre son papa heureux. « La ruse, ma fille, la ruse nous sauvera, ma princesse ! » lui dit-elle.

Sharazade s'en vint voir le roi et lui dit :

« Merci, père, pour cette robe magnifique. Je suis

comblée, jamais je n'aurais pensé qu'une telle beauté fût possible.

– Bien, princesse ! Ce mariage ne te fait donc plus peur ?

– Oh père, je suis dans la tourmente, mais j'ai entendu dire que vous ne seriez peut-être pas mon vrai père. Si cela est vrai, alors plus rien ne nous empêchera de célébrer les noces. Mais auparavant, j'aimerais, en plus de la robe couleur du temps et de celle couleur de la lune, oui, j'aimerais compléter ma collection avec une robe couleur du soleil, mais pas de n'importe quel soleil, de celui qui darde le rayon vert, celui qui, juste avant son coucher, porte bonheur à ceux et à celles qui ont la chance de l'apercevoir.

– Ça sera fait, princesse. »

Cette fois, le roi convoqua une sorcière, la plus vieille, la plus vicieuse, la plus laide et la plus efficace de toutes les sorcières du pays. Elle était venue de l'extrême Sud, et quand elle posa son baluchon, il en sortit des serpents, des scorpions, de grosses fourmis tantôt noires tantôt jaunes, des cafards aux longues antennes. Elle leur cria quelque chose en une langue inconnue : ils réintégrèrent à l'instant même le sac en toile de jute.

« N'ayez crainte, Sire, ce sont mes enfants, ils aiment savoir où ils se trouvent. Commandez, je suis à vos ordres, Sire. »

Le roi lui conseilla d'abord de mieux éduquer ses « enfants », puis lui dit qu'il avait besoin d'une robe couleur du soleil à l'instant du rayon vert. Elle le regarda puis fit une moue avant de parler :

« Me faire venir de si loin pour une robe ! Les temps sont durs ! Personne à faire disparaître, personne à torturer, pas même à inquiéter, juste une robe… et pour qui, cette robe spéciale ? Vous êtes encore amoureux, Sire, je vous ai déjà dit qu'il faut vous prémunir contre l'espèce féminine, qu'elle est aussi dangereuse que la peste, et aussi séduisante que le brillant de la vipère quand elle se chauffe au soleil. Alors cette robe, ça va être difficile ; ce n'est pas mon rayon, moi, je suis plus efficace pour faire le mal, mais je connais une petite débutante dans le métier qui est capable de nous dénicher ce que vous cherchez. Laissez-moi le temps de la contacter, et vous aurez ce que vous désirez. À propos : vous auriez intérêt à me contacter un peu plus souvent. Je m'ennuie, et si je ne pratique pas, je suis menacée de perdre ma licence. Je veux dire, mon pouvoir. Dites-moi, Sire, vous ne voulez toujours pas que je m'occupe du gros imposteur, celui qui vous a volé de l'argent et fait des affaires en votre nom ? J'aimerais tellement le faire souffrir et parvenir à fondre la pierre noire qu'il a à la place du cœur. »

Elle quitta le palais et s'en alla sur un âne qui attendait à la porte. C'était un âne sans pouvoir, un animal banal, modeste et sans force. Quand la sorcière le monta, il fut pris d'une soudaine énergie et se mit à courir à une vitesse qui surprit tout le monde. Elle arriva bien vite devant un cimetière et conféra avec le gardien. Une jeune fille sortit alors d'une tombe où elle dormait et demanda ce qui se passait. Elle reconnut sa maîtresse, et s'inclina pour l'honorer.

« Une robe couleur du soleil… Oui, maîtresse, ce sera fait immédiatement. »

Quelques heures plus tard, la vieille sorcière se présentait au roi avec, à la main, une robe dont la lumière l'éblouit au point qu'il eut mal aux yeux et dut détourner le regard. Elle brillait tellement qu'allumer les lumières du palais devenait inutile. Désormais, Sharazade ne pourrait plus rien dire. Elle avait ses trois robes, tous ses vœux étaient exaucés. Il lui fallait trouver autre chose pour empêcher ce mariage. La fée était dans les parages, et de nouveau elle eut une idée. Elle s'approcha de Sharazade et lui chuchota à l'oreille :

« Demande-lui la peau de l'âne ! »

Sharazade se retira et demanda à la fée de s'expliquer.

« Nous avons tout essayé, dit Chemsi. Il a eu réponse à tout. Maintenant, on va frapper au portefeuille. Si tu lui réclames comme un caprice de jeune princesse la peau de Maître Âne, il sera refait : en te la donnant, il se priverait de toutes ses ressources. Or, même s'il tient absolument à ce mariage, il est assez intelligent pour ne pas renoncer à cette source de revenus extraordinaires, ne serait-ce que pour pouvoir continuer de te faire mener un train de grande princesse. Et si jamais il répond à nouveau à ton désir, j'ai un autre plan. »

La passion amoureuse du roi n'avait pas de limite. Il était prêt à tout pour épouser la belle Sharazade. Il consentit donc, sans hésiter, à sacrifier Maître Âne après l'avoir vidé de ses dernières pièces d'or. Il donna ensuite des ordres pour que sa peau fût bien nettoyée, et surtout pour qu'on la libérât de ses odeurs insupportables. Cela demandait du temps. La princesse accepta de patienter pendant que la fée lui exposait son plan :

« Voilà, tu fourreras tes affaires, en particulier tes belles robes, dans une valise. Tu n'auras pas à la porter, je te donnerai ma baguette magique et tu verras que la valise te suivra comme si elle était tirée par une main invisible. Tu seras dans la peau de l'âne, complètement couverte. Tu la porteras comme une djellaba ancienne, une sorte d'*abaya* qui cache tout. En général, quand des hommes rencontrent des femmes ainsi voilées de la tête aux pieds, ils n'osent ni leur parler ni même les regarder. Tu passeras pour une femme soumise à un père ou à un mari fanatique. Ce n'est pas grave, car le principal c'est qu'avec ce déguisement, la police de ton père ne te retrouvera jamais. Si tu t'ennuies, je t'autorise à jouer avec ma baguette, mais fais bien attention, un geste maladroit pourrait aussi bien te ramener au palais. C'est une baguette qui fait des miracles, mais il faut savoir la manier. »

Sharazade profita de la nuit pour s'enfuir. Les gardiens ne la virent pas sortir. La valise la suivait, et personne ne la remarqua. Ce ne fut que le lendemain que le roi apprit la disparition de la princesse. Fou de rage, il engagea tous ses hommes à partir à sa recherche. Il leur promit une belle récompense. Seul dans son palais, il allait et venait, et parfois frappait les murs avec ses poings.

Tard dans la nuit, il entra dans la mosquée du palais et fit plusieurs prières. Mais il disait n'importe quoi, confondait des versets avec des dits du Prophète, se leva puis se prosterna sans savoir ce qu'il faisait. Un imam le surprit dans cet état, lui demanda de s'étendre un instant, et entreprit de lui masser le dos et la nuque, qui étaient très tendus. Il délirait, et l'imam préféra demeurer sourd à ce qu'il proférait à l'endroit de la religion.

« Ma fille, ma princesse, mon épouse, mon aimée, mon amour, où es-tu ? Mon amour est infini pour toi et mon feu ne connaîtra le calme qu'à ton retour. Si tu le souhaites, nous nous marierons sans faire de bruit, cela restera entre nous, notre secret, ô ma fille, mon péché mortel, mon amour, ma folie, ma prière non exaucée, ma raison de vivre, reviens, je suis à toi et je t'attendrai… »

Sharazade s'était réfugiée dans une grande ferme où se trouvait une ménagerie. Quand le gouverneur chassait, il lui arrivait d'y faire halte et de confier à la Mamma, une vieille paysanne connue pour son esprit vif et ses répliques impudiques, quelques confidences. Dès que la Mamma vit cette pauvre femme enveloppée dans une peau d'âne, elle sut par intuition qu'elle était en fuite et qu'il fallait lui venir en aide. Ce n'était pas courant de se déguiser ainsi. Il devait se cacher quelque chose derrière cet aspect rebutant. La Mamma avait un grand cœur et ne se trompait jamais. Elle prit sous sa protection Sharazade sans lui poser aucune question. Elle se dit : « Si elle a envie de se confier à moi, je l'écouterai ; pour le moment, donnons-lui une boisson chaude et un bon plat de lentilles. » Sharazade était si fatiguée qu'elle s'endormit vite dans une cabane qui servait aux chasseurs. Le lendemain, elle demanda à se laver, car, malgré le nettoyage, la peau de Maître Âne sentait mauvais, ce qui attirait des mouches particulièrement méchantes : certaines ne se contentaient pas de la piquer mais chuchotaient volontiers à son oreille des insultes du genre : « Honte à toi ! »

La Mamma l'invita donc à prendre un bain dans le hammam familial. Là, les femmes remarquèrent la beauté exceptionnelle de ce corps si fin et si gracile. La Mamma sut tout de suite qu'elle venait d'une grande famille. Après le bain, Sharazade revêtit sa robe couleur du temps. Elle était superbe. Les gens de la ferme sortaient pour l'admirer.

C'était le matin où Amine, le fils aîné du gouverneur, devait aller à la chasse et passait par là pour saluer la Mamma. Quand il aperçut Sharazade, il eut le souffle coupé durant quelques secondes. Il n'avait jamais vu une jeune femme aussi belle. Il se dégageait d'elle une lumière particulière qui éblouissait tous ceux qui la fixaient du regard. Le jeune homme déposa son bagage et courut en parler avec la Mamma.

« Mais qui est-elle ? Vous savez d'où elle vient, comment elle s'appelle ?

– Je ne sais rien, petit. Tout ce que je sais, c'est qu'elle s'est présentée hier ici enveloppée dans une peau d'âne. C'est un signe de déguisement qui suggère que son histoire est compliquée. Mais calme-toi, ce n'est qu'une jolie femme, tu es en train de perdre tes moyens.

– Oui, mon amie, j'ai dû recevoir une flèche en plein cœur !

– Oh, arrête avec ces balivernes… Tu crois que Cupidon n'a rien d'autre à faire qu'à t'envoyer une de ses flèches ? Tu sais bien qu'on dit qu'il a perdu son arc à la dernière foire. Il n'y a plus de Cupidon. Tiens, aide-moi à tuer ce veau, il faut préparer la fête de la fin de l'hiver. Le soleil arrive demain, je le sens s'approcher de la ferme. Regarde le ciel, il perd ses nuages plus vite que d'habitude. Demain, ce sera une journée de lumière. J'ai invité tes parents, tu viendras aussi et je te présenterai à la belle inconnue. »

Le lendemain apparut Sharazade, habillée de sa très belle robe couleur de la lune. Elle portait aussi quelques-uns de ses bijoux, et avait soigneusement rangé dans une mallette la peau de Maître Âne qui pourrait encore lui servir. Elle était devenue prudente et commençait à douter de la bonté naturelle des hommes. En repensant à son père, elle voyait la vie obscurcie par un lourd orage et apercevait dans le lointain le corps de sa mère qui agitait les bras comme si elle se noyait et demandait du secours. Des pensées de plus en plus sombres s'imposaient à elle, surtout le soir avant de s'abandonner au sommeil. Cette nuit-là, elle fit un rêve où se mêlaient des images d'un printemps merveilleux et d'autres où les ténèbres se découpaient en morceaux et s'abattaient sur les gens, qui en perdaient la vue. Elle circulait dans ce monde où le bien et le mal se faisaient la guerre. C'était son état d'extrême inquiétude que rêves et cauchemars illustraient de cette manière forte.

Elle se réveilla le visage en sueur, la gorge sèche et les mains tremblantes. Il fallait coûte que coûte sortir de ce rêve, et elle décida de ne pas se rendormir. Elle fit sa toilette comme elle pouvait et attendit l'apparition du soleil. Elle entendit alors le chant des oiseaux, ce qui lui rappela sa mère quand elle se promenait dans les jardins du palais. « Ceci est un bon signe », pensa-t-elle.

Ce matin-là, le ciel avait été lavé, et elle avait réussi à éloigner d'elle le souvenir du cauchemar et l'image de ce père qui avait perdu la raison et tenté de commettre l'irréparable. Mais sans le faire exprès, elle avait dû toucher la baguette magique que lui avait laissée la fée Chemsi, car la Mamma arriva :

« Que puis-je pour vous, princesse ?

– Ah, vous savez qui je suis !

– Je ne sais pas exactement qui vous êtes, mais tout chez vous dit que vous êtes une princesse, votre façon d'être, de vous habiller, votre regard, et puis cette voix d'une si belle douceur… Votre démarche si élégante, si agréable à regarder… Racontez-moi votre histoire, que vous est-il arrivé pour vous retrouver dans cet état ? »

Sharazade se sentit en confiance car la baguette s'était rapprochée de la Mamma. Elle lui raconta tout, comme elle l'aurait fait avec un médecin de l'âme ou une sainte disposée à l'aider. Quand Sharazade eut achevé son récit, la Mamma, choquée, ne savait plus quoi dire. Elle prit alors la princesse dans ses bras et lui murmura à l'oreille :

« Princesse, ici vous êtes en sécurité ! Votre père ira en enfer, à moins qu'il ne se ravise et revienne à la raison. Aucune société dans le monde n'autorise ce type de mariage, peut-être les animaux qui ne savent pas ce qu'ils font, mais nous, les humains, nous avons basé notre société sur cet interdit suprême qui nous distingue des animaux. Et puis, Dieu réserve aux contrevenants un séjour éternel en enfer. Ton père a dû être possédé par le diable, à moins qu'il ne soit tombé dans un piège tendu par une sorcière au service de ses ennemis. »

La Mamma conseilla à Sharazade de rester cachée dans la cuisine pour lui laisser le temps de préparer les gens à la découvrir. Sharazade proposa de faire du pain pour les invités. La vieille lui procura ce dont elle avait besoin et la laissa seule pétrir la pâte.

Sharazade se donna entièrement à sa tâche et en fut très heureuse. Elle ne pensait plus à l'affreuse nuit qu'elle venait de passer. À un certain moment, elle se rendit compte qu'elle avait perdu la bague que sa mère lui avait laissée. Elle se mit frénétiquement à la chercher, mais les pains ronds étaient déjà dans le four. Une légende que lui avait racontée sa vieille tante disait que celui qui trouverait cette bague deviendrait son époux. Elle eut des frayeurs en pensant à tous les hommes mauvais, à tous les hommes cupides et méchants qui pourraient tomber sur ce bijou en mangeant, et qui se présenteraient ensuite pour l'épouser. Elle fit part de son inquiétude à la Mamma, qui trouva là l'occasion rêvée pour que la bague tombât entre les mains du fils du gouverneur, ce beau et grand jeune homme de qualité qui était promis à une belle carrière dans la diplomatie. Avant de stocker la centaine de pains cuits, elle les vérifia un par un jusqu'à tomber sur la magnifique bague. Elle mit ce pain dans sa poche et sortit recevoir les invités. Entre-temps, elle avait demandé à Sharazade de s'habiller et d'attendre que l'on vînt la chercher.

À midi, les invités arrivèrent. Le gouverneur et son fils s'arrêtèrent pour saluer la Mamma, qui eut le temps de glisser le pain dans la poche de la veste du jeune homme. Étonné, il demanda la raison de ce geste. Elle le prit à part et lui expliqua ce qu'elle espérait voir se produire. Curieux et interloqué, le jeune homme s'en amusa.

« Après le déjeuner, expliqua-t-elle, des filles défileront devant toi afin d'essayer la bague. Celle qui présentera le doigt le mieux fait pour cette bague sera ta future épouse. Si par malheur cette personne ne possède pas les qualités que tu attends d'une femme, tu auras le droit de casser le jeu, mais elle aura de son côté celui de conserver la bague, qui est sertie de diamants rares. »

Le défilé commença juste avant que l'on serve la pastilla au lait et aux amandes, un dessert fin et succulent. Il y eut des doigts trop gros, d'autres trop fins, d'autres tordus par le travail. Alors, la Mamma envoya l'un de ses serviteurs chercher Sharazade, qui arriva en marchant sur la pointe des pieds comme si elle craignait d'abîmer tout ce qu'elle touchait. Les yeux baissés, elle tendit la main droite au fils du gouverneur. La bague se glissa autour du doigt comme si elle se fût toujours trouvée là. Lorsque leurs regards se croisèrent, ils restèrent figés longtemps, ignorant ce qui se passait autour d'eux, n'entendant ni la musique ni le bruit des invités. Ils étaient seuls au monde, comme dans un rêve, dans un autre univers. Ils surent tout de suite qu'ils étaient faits l'un pour l'autre. Le père du jeune homme ne comprit pas ce qui se passait. La Mamma se pencha vers lui et le rassura. Mais son fils était ailleurs.

Il faillit s'évanouir. Il était blême et avait perdu l'usage de la parole. Son père lui recommanda d'aller se mettre la tête sous l'eau froide et d'attendre un moment ; tant d'émotion l'avait rendu fébrile et maladroit. Il s'éclipsa. Sharazade remarqua combien cet homme était sensible et agréable. Elle dit à la Mamma qu'elle aimerait savoir son histoire.

« Rassure-toi, il est tout à fait normal, il est simplement ébloui par ta beauté et a perdu ses moyens ; cela arrive, on appelle cela le "syndrome d'Abla" ; tu sais, la reine dont la beauté légendaire faisait s'évanouir les hommes qui s'en approchaient. Elle avait passé sa vie toute seule, car tous les hommes perdaient leur force et leur prestance devant elle. »

La mère du jeune homme était inquiète. Elle se renseigna sur les origines de cette nymphe et donna l'ordre à son fils de s'en éloigner :

« Elle n'est pas faite pour notre classe. Pas plus que nous ne sommes faits pour la sienne. Nous ne nous mélangeons pas avec ce genre de personnes à l'origine douteuse. »

De retour au palais du gouverneur, le jeune homme fut pris d'une crise de larmes. Il se cacha pour ne pas se montrer à sa mère dans cet état de faiblesse, et ne sortit de sa chambre qu'au milieu de la nuit, quand tout le monde dormait. Il erra dans le jardin. Une véritable âme en peine. La lune était pleine et illuminait le ciel où des étoiles brillaient et dansaient comme si elles l'avaient invité à aller de l'avant, à avoir de l'audace et à courir déclarer sa flamme à la belle nymphe inconnue. Il n'arrivait pas à se raisonner, guettait les signes que lui enverrait le ciel et s'en alla finalement à la ferme attendre le lever du jour et rencontrer Sharazade.

La belle inconnue ne sortit pas de sa cachette. Le jeune homme, désespéré, revint au palais et pria son père d'aller demander la main de Sharazade. La mère exprima son opposition, en arguant du fait que l'on ne connaissait rien de la vie de cette jeune femme, que l'on ignorait qui étaient ses parents, d'où elle venait et ce que cachait son mystère.

« Méfiance, méfiance ! Le mariage, ce n'est pas seulement l'union de deux êtres, c'est aussi l'union de deux familles ; or où est sa famille ? À qui s'adresser pour faire la demande ? »

Le père en convint, l'affaire n'était pas simple, et il remit à plus tard le projet d'aller rendre visite à la jeune femme.

Pendant ce temps-là, le roi continuait ses recherches. C'est ainsi qu'il envoya un messager à son gouverneur pour lui demander de l'aider à retrouver sa fille. Il en décrivit les traits à son intention et, surtout, évoqua ses différentes robes couleur du temps, couleur de la lune et autres. Il parla aussi d'une bague exceptionnelle, sertie de rubis et de diamants. Ce fut cette remarque qui éveilla les soupçons du gouverneur. Avant de répondre au messager, il se rendit à la ferme de la Mamma et demanda à rencontrer la jeune fugitive. Il n'y avait plus moyen de dissimuler la vérité. Le gouverneur fut mis au courant de l'affaire et, sans porter de jugement sur le désir du roi d'épouser sa progéniture, il décida de précipiter les choses : il demanda à la Mamma s'il pouvait annoncer au roi que sa fille se trouvait bien là et qu'il se permettait de solliciter sa main en faveur d'Amine, son fils aîné. La Mamma lui répondit qu'elle approuvait cette idée.

Le gouverneur rédigea donc une belle lettre à l'attention du roi, qu'il remit au messager. Quand il informa son épouse de ce qu'il venait de découvrir, tous ses préjugés tombèrent, et la voilà qui se mit à chanter pour fêter la bonne nouvelle. Son fils allait épouser une princesse !

Le roi, trop heureux d'apprendre que sa fille était saine et sauve, et qu'en plus elle était amoureuse du fils de son gouverneur, se sentit soudain libéré et pria Dieu de lui pardonner son égarement qui avait menacé de le jeter aux enfers où il aurait perdu son âme et sa vie. Mais les prières ne pouvaient suffire. Il fallait effacer le projet d'outrage et rendre à sa relation sa pureté et son naturel. Il n'y avait donc que sa fille pour l'aider à sortir de ses tourments. Purifier l'âme des feux qui l'avaient ravagée un temps, éteindre à jamais l'odieuse flamme qui s'était emparée de son cœur et de sa raison, redevenir père avant d'être roi et apparaître sous un jour neuf où l'humilité et la sagesse seraient les signes de son identité retrouvée, celui du père de la mariée, dont l'intelligence et la grâce l'aideraient à en finir avec l'affreux souvenir.

Il fallait un peu de temps à tout le monde. Au roi pour qu'il retrouve sa dignité, à sa fille pour qu'elle s'habituât à ce nouveau père, au gouverneur et à sa femme pour qu'ils préparent le plus beau des mariages.

Le roi faisait ses ablutions et s'apprêtait à prier quand la vieille et méchante fée apparut :

« Tu n'as toujours pas besoin de mes services ? »

Elle lâcha ses bêtes affamées, sortit de sous sa robe sale un fouet qu'elle fit claquer. Le roi eut peur. Il n'avait plus de voix pour appeler au secours.

« À présent, nous sommes seuls. Je suis mauvaise, très mauvaise, et je suis là parce que j'ai appris que tu allais renoncer au mariage avec ta fille ! Quelle trahison ! C'est moi qui t'avais mis cette idée dans la tête, et voilà que tu me laisses tomber, que tu me quittes pour redevenir un père, un homme et un roi respectable. Ça ne va pas se passer comme ça. Tu me dois obéissance. »

Le roi se mit à prier en silence afin que Satan quittât ce lieu. Les yeux fermés, il supplia Dieu de lui venir en aide. La vieille s'installa sur le trône et urina dessus. Un liquide vert-jaune dégoulinait du fauteuil royal. Mais le roi se rappela soudain qu'elle ne supportait pas l'encens du paradis. Il se précipita alors sur une cache et parvint à allumer ce bois de santal que l'on utilisait en deux occasions bien particulières, le jour des funérailles et celui du mariage. La vieille eut une quinte de toux, perdit très vite ses moyens et fut ensuite dévorée par ses « enfants », qui devaient attendre depuis longtemps ce moment pour prendre leur revanche sur cette mère indigne qui faisait du mal sa principale occupation. Sur le trône et par terre, il n'y avait plus que de la cendre. Le roi sonna l'un de ses domestiques, qui nettoya la chambre et permit au roi de reprendre ses ablutions en remerciant Dieu de l'avoir sauvé. Il entendit alors une voix lui murmurer : « Dieu ou la Raison. »

En dehors de la fée Chemsi et de la Mamma, personne n'était au courant de cette affaire scabreuse. On fit courir le bruit que Sharazade était partie à l'aventure pour se frotter à la vie des gens simples, car la vie au palais la cantonnait dans un confort qui l'isolait de la réalité. Pour ne pas être reconnue et reconduite immédiatement au palais, elle avait eu l'idée de se déguiser avec la peau d'un âne qui venait de mourir. Elle avait fait préparer cette peau et l'avait portée comme un manteau, dissimulant ainsi sa véritable identité.

Quand son père avait accepté de tuer Maître Âne qui mangeait de l'herbe et « chiait des pièces d'or », comme on disait au sein du peuple, il n'avait pas réfléchi car il était entièrement gouverné par une passion hideuse et malsaine. Il ne savait plus ce qu'il faisait, ne s'appartenait plus. Évidemment, les caisses du palais s'étaient bientôt retrouvées vides, et il avait fallu augmenter les impôts des plus riches, seul moyen de faire face aux dépenses. Du coup, toute cette histoire avait permis de réparer une grave injustice en obligeant les riches propriétaires à payer des taxes conséquentes en plus du zakat (l'impôt religieux correspondant à dix pour cent des revenus). Des protestations s'étaient bien élevées, ici et là, mais le roi avait mis son autorité en jeu et les riches avaient cédé. Les gens modestes, de leur côté, avaient crié leur joie en disant que le roi était un chef d'État courageux et juste.

Devenu « Roi des pauvres », le père de Sharazade organisa un mariage simple et modeste. Pas de gaspillage ni d'étalage de richesses. Il décida d'inviter tous les mariés du même jour. Les plus pauvres vinrent en nombre ; quant aux riches, ils préférèrent festoyer chez eux. Le gouverneur avait trouvé l'idée généreuse, mais sa femme, qui ne put fêter son fils comme elle l'eût voulu, en conçut de la frustration.

Les jeunes mariés étaient si beaux, la lumière qui se dégageait d'eux si pure que tous les présents en éprouvèrent de la joie.

Les cadeaux étaient acceptés à condition qu'ils ne fussent pas ostentatoires et de prix trop élevé. Certains avaient apporté des broderies que leurs femmes avaient tissées de leurs mains, d'autres plantèrent un arbre à l'entrée du palais, d'autres encore offrirent au roi des manuscrits que leurs arrière-grands-parents leur avaient légués. Un paysan eut l'idée d'offrir aux jeunes mariés un âne qui venait de naître. Il marchait lentement et se sentit à l'aise aussitôt qu'il eut franchi le seuil du palais. C'est ainsi qu'il se dirigea tout naturellement à l'endroit même où Maître Âne vivait.

Il s'installa finalement à demeure, poussant de temps à autre un petit cri de satisfaction. On lui donnait à manger de l'herbe fraîche, tous les yeux se braquant jour après jour sur son derrière. Le roi s'en amusait. Sharazade et Amine éclatèrent de rire quand ils apprirent la nouvelle.

Entre-temps, le paysan avait disparu. En fait, ce n'était pas un vrai paysan, mais Chemsi déguisée en homme.

C'était elle qui avait eu cette idée. La fée était bien là le jour du mariage, mais elle s'était arrangée pour ne pas être vue. Seule Sharazade avait senti sa présence et lui avait un peu parlé. Elle l'avait même entendue lui réclamer la baguette magique qu'elle avait oubliée chez la Mamma. Chemsi l'avait aussitôt rassurée : « Ne t'en fais pas, j'irai la chercher, l'âne n'est pas encore prêt à chier ! »

Quelques jours après le mariage, le roi partit en pèlerinage à La Mecque. Il devait laver ses péchés, se débarrasser définitivement de cette tache noire qui l'empêchait de dormir. Il avait maigri et déléguait de plus en plus ses pouvoirs. Il fallait renaître dans une autre peau avec une autre mémoire.

À Médine, où il séjourna sans se faire connaître, il fréquenta un cercle de poètes soufis qui lui apprirent le dépouillement et la simplicité de l'amour de Dieu. Il devint au bout de quelques semaines un « renoncé », quelqu'un qui ne s'intéresse plus aux biens matériels et qui se consacre entièrement à la spiritualité.

De retour au pays, il se retira dans une petite cabane perchée tout en haut de la montagne, puis demanda à sa fille de lui succéder. Elle accepta, à condition que le peuple fût interrogé et approuvât le projet. Plus de quatre-vingt-dix pour cent des voix la désignèrent digne successeur de son père.

C'est ainsi que, pour la première fois dans le pays, une femme, jeune et intelligente, honnête et intègre, parvint au pouvoir. Le monde entier vit en elle l'espoir tant attendu de sortir le pays du conservatisme et de l'arriération. Elle s'entoura de jeunes personnes dynamiques et cultivées. Ceux qui avaient voté pour le non étaient influencés par les gros propriétaires, qui dénigraient tout ce qu'elle entreprenait.

L'âne, pour la petite histoire, donna de l'or une fois par semaine, ce qui permit à la reine de financer la construction de quelques hôpitaux. Elle avait demandé à ce que l'on gardât secrète cette manne. Elle avait fait ses comptes : elle aurait besoin de cinq ans pour mener à bien ses projets. Elle se renseigna ensuite auprès d'un vétérinaire, qui la rassura sur l'espérance de vie de cette race d'animal : quarante à cinquante ans.

Cette histoire est difficile à croire. Mais si l'on excepte l'intervention de quelque fée et de la raison, si l'on veut bien accepter l'idée que la grâce et l'intelligence peuvent s'allier pour soulager le monde de ses douleurs et de ses incohérences, alors tout est possible, y compris qu'un bougre d'âne chie de l'or.

10
Les Souhaits inutiles

Il était une fois un pauvre cordonnier que la chance et la vie avaient oublié. Il s'appelait Zaher, « le chanceux », et était persuadé que sa naissance était le fruit d'une erreur, que sa famille mettait sur le compte du mauvais œil. Mal né, mal nourri, pas aimé, il vivait dans une grande solitude alors qu'il s'était marié avec sa cousine germaine, de cinq ans plus âgée que lui. Celle-ci considérait d'ailleurs ce mariage comme un pis-aller, car elle non plus n'avait pas eu de chance. Le fait d'être issue d'une bonne famille, à la réputation irréprochable, n'avait pas suffi pour lui trouver un mari. Elle disait souvent que le destin les avait réunis parce que, ce jour-là, il était débordé et qu'il avait décidé de bâcler son travail. Souvent de mauvaise humeur, elle n'arrivait pas à calmer sa jalousie à l'égard de ses petites sœurs, toutes mariées à des hommes riches et beaux.

Elle portait le joli nom de Bouchra, « celle qui annonce les bonnes nouvelles ». Elle était jolie, vive et assez entreprenante. En dépit du malheur qui les accablait, elle et son mari, elle avait toujours dans l'idée de sortir son couple de la misère.

Évidemment, ils n'eurent pas d'enfant. Cela témoignait de leur malheur. Zaher fabriquait des babouches que lui achetaient les rares étrangers qui visitaient son village. Les habitants du lieu, eux, portaient des sandales en plastique, et la plupart plaignaient « le pauvre Zaher » de sombrer toujours davantage dans la tristesse et la mélancolie. On ne pouvait rien pour lui, chacun en était convaincu. On disait : « Il n'a pas de chance, c'est ainsi, il y en a qui crèvent de trop manger et d'autres de ne pas manger du tout ! »

Le fait qu'une malédiction semblât peser sur sa vie et celle de Bouchra rendait Zaher fataliste. Et s'il lui arrivait d'aller prier à la grande mosquée, cela ne l'apaisait jamais. Un jour, il en sortit en insultant la vie et le monde entier. Il faillit perdre la raison à force de proférer des blasphèmes. On venait de lui voler ses jolies babouches en peau de brebis. Il décida de ne plus revenir dans cette mosquée d'où l'on repartait souvent pieds nus.

Un certain vendredi, il ferma plus tôt que d'habitude son échoppe et alla marcher dans la forêt, dans l'espoir d'oublier sa condition. Il n'y avait personne. Jour de repos et de prière, ce vendredi-là était placé sous le signe de la délivrance. Il décida de faire des folies et se mit à fumer de l'herbe. C'était l'époque où les artisans consommaient volontiers du kif. Zaher sortit sa longue pipe, s'adossa contre un arbre et l'alluma. L'effet ne tarda pas à se manifester : il se vit couché sur un petit nuage tenu par des anges et s'envola ainsi pour des territoires merveilleux. Ensuite, il s'imagina attaqué et assassiné ; il en eut des frissons et se dit : « La mort vaut mieux que cette misérable vie. » L'effet de la fumée le plongea dans un état de quasi-inconscience. Malgré tout, il pensa à sa femme qui l'attendait à la maison et fut pris de souffrance à l'idée qu'il ne pouvait lui donner tout ce qu'elle méritait en tant qu'épouse. Il n'arrêtait pas de tousser, crachait. Il n'avait pas l'habitude d'avaler la fumée de cette herbe. Il se dit : « Je ne peux même pas m'évader en inhalant un peu de kif ; je suis maudit, rien ne me réussit. »

Il marchait lentement lorsqu'un éclair fendit le ciel. Levant les yeux, il n'aperçut pas de nuages. Plus d'anges, plus rien. D'où venait cet éclair soudain ? Il entendit le tonnerre. Comment était-ce possible, dans un ciel si bleu ? Il accusa de nouveau l'herbe maudite : « Je suis foutu, plus rien n'est normal, je suis puni pour avoir fumé cette chose que tous les artisans tiennent pour un remontant. » Il entendit une voix et se crut au beau milieu d'une pièce de théâtre dont l'acteur principal se serait mis à hurler. Il se dit qu'il devait avoir de la fièvre et que c'était elle qui lui valait ces hallucinations. Il avait effectivement très chaud, et de la sueur perlait sur son front. Il s'arrêta de tirer sur sa pipe, s'assit au pied d'un arbre et attendit que le tourbillon s'évanouisse. Bientôt, sa tête cessa de lui tourner et son rythme cardiaque redevint normal. Mais il était incapable de se lever et de rentrer chez lui. Il jura de ne plus toucher à cette pipe de malheur qui l'avait mis dans cet état-là.

Une voix se fit alors entendre :

« Zaher ! Tu n'es pas une erreur ! Si tu t'appelles Zaher, c'est que la chance te cherche… mais tu n'es jamais là où elle passe. Tout de même, tu devrais être un peu plus malin et favoriser ce que tu as en toi de bien. »

Il se retourna aussitôt, mais ne vit personne. Il était

de plus en plus persuadé qu'il était victime d'un accès de folie.

Puis il entendit de nouveau la grosse voix :

« Non, tu n'es pas fou. La chance tourne et il va falloir la saisir au vol. Écoute-moi bien : je te promets d'exaucer tes trois premiers vœux. Et ce n'est pas un jeu, ni une plaisanterie. Je suis sérieux. »

Zaher, qui n'avait pas perdu le sens de l'humour, répondit :

« Tout de même, on n'est pas dans un conte des *Mille et Une Nuits* ?

– Non, mon cher, mais dans un conte de Charles Perrault !

– Désolé, mais cet homme n'est pas de chez nous. Jamais entendu parler de lui.

– Qu'importe, cesse de pinailler et prononce le premier de tes trois vœux. Si tu ne fais rien, le pauvre Charles souffrira dans sa tombe. Tant que l'on raconte ses histoires, il demeure vivant. Si d'aventure on se mettait à douter, il tomberait dans l'oubli. Tu sais, l'oubli, cette immense jarre où l'on jette ceux qui sont sans importance et dont personne ne se souvient. Sous la jarre, il y a le feu…

– C'est l'enfer !

– Ça y est, tu as compris. Allez, vite…

– Il faut que j'en parle à Bouchra, ma femme.

– Très bien, tu es un bon mari, alors j'attends. »

Zaher prit le chemin de sa maison d'un pas léger. Il se serait presque senti heureux, impatient qu'il était d'annoncer la bonne nouvelle à son épouse. Aussitôt qu'elle le vit, celle-ci s'exclama :

« Ah ! Tu as vendu tout le stock de babouches ! Tu

as enfin fait une bonne affaire ? Tu as dit ses vérités à ton salaud de voisin qui détourne tes clients ? Tu as enfin osé augmenter le prix des babouches cousues avec du fil d'or ?

– Non, mieux que ça, j'ai rencontré quelqu'un d'extraordinaire, quelqu'un qui va nous rendre riches.

– Les gens extraordinaires qui se soucient du bonheur des autres ne courent pas les rues, et toi, tu ne te méfies jamais assez. Alors, c'est quoi, cette histoire ? Tout à coup, quelqu'un se préoccuperait de notre vie et voudrait améliorer notre ordinaire ! Mais tu as fumé, ma parole, approche un peu que je respire ton haleine… Tu as fumé du kif, ça se voit et ça se sent ; allez, va passer ta tête sous l'eau et reviens m'aider. »

Il lui expliqua que ce n'était pas d'une personne qu'il parlait, mais d'une voix qui venait du ciel. Bouchra faillit s'évanouir.

« Et tu l'as cru ! C'est la pauvreté qui te joue des tours, mon pauvre ami, non seulement tu as encore fumé, mais tu as dû avaler un de ces gâteaux truffés de produits qui donnent des hallucinations. Pose ton balluchon et viens m'aider à laver la vaisselle. »

Zaher insista, puis se proposa de faire un vœu, juste pour voir. Il s'installa devant la cheminée et rêva à voix haute : « Je verrais bien, là, sur ce feu de bois, un petit agneau en train de griller lentement… »

Il se léchait déjà les babines. Sa femme, qui lui tournait le dos, continuait de se moquer de lui :

« C'est ça, un agneau, une jarre d'huile d'olive, une autre de beurre, du blé, de la semoule, des dattes, des raisins secs, bref, de quoi tenir une saison d'hiver… »

Mais à mesure qu'elle égrenait ces vœux, ils se concrétisaient. Zaher en fut à peine surpris.

« Regarde ! »

Bouchra en eut le souffle coupé. Un agneau de lait tournait en broche au-dessus du feu, des sacs et des jarres étaient alignés à côté de la cheminée ! Mais tout cela ne lui suffisait pas. Elle fit alors une remarque, qui chagrina son mari :

« Tu ne penses qu'à manger : au lieu de demander de l'or, des perles, des diamants, tu réclames un gigot ! Pauvre homme, je te savais stupide, mais pas à ce point. Heureusement, il nous reste deux autres vœux que le ciel semble prêt à exaucer. Enfin, le ciel, ou ton drôle de bonhomme.

– Très bien. Rendons-nous au bois, et cette fois, réfléchissons bien avant de prononcer le moindre mot. »

Contrarié, et quelque peu humilié, Zaher, pour se venger, songea un instant à faire le vœu de devenir veuf, mais, brave homme, bon comme de la mie de pain, il n'en fit rien.

La pauvreté est mauvaise conseillère. Elle pousse les gens à commettre des erreurs, à se prendre pour ce qu'ils ne sont pas, à franchir les limites de l'interdit. Zaher était conscient de tout cela, mais ne savait comment faire pour que son épouse accepte la réalité et remercie le ciel d'être en bonne santé.

« Sais-tu, Bouchra, que le meilleur capital de l'être humain c'est la santé, celle du corps et de l'esprit ?

– Oui, je le connais, ton bla-bla… être en bonne santé et crever de faim… être en bonne santé et admirer un coucher de soleil… Rien à faire ! Je veux être belle et riche, je veux être couverte de bijoux et de robes magnifiques, je veux que tous les regards se posent sur moi et envient ma condition… Je veux tout, sortir définitivement de la misère et jouir de la vie à pleines dents. Assez de cette vie, petite et pitoyable…

– Mais nous nous aimons ! Moi je t'aime, je ne pourrais pas vivre sans toi…

– Oui, c'est ça, arrête de te raconter des histoires.

– Puisque tu mets tout en doute, viens avec moi dans le bois et tu entendras la voix de celui qui veut exaucer nos vœux. »

Zaher était assez désemparé, mais il imposa le silence au moment d'entrer dans le bois. Il fit signe à sa femme de se taire. Bouchra portait l'agneau cuit autour du cou. Elle n'arrivait pas à le détacher, on aurait dit qu'il était collé à sa peau. Elle pestait de plus en plus fort. Son mari fut pris d'un fou rire, ce qui l'énerva plus encore. Elle était maintenant devenue hideuse, de la graisse dégoulinait sur ses joues et ses épaules. Et plus elle pensait à ce qu'elle allait demander, plus son physique changeait d'apparence.

« Ton vœu, c'est un piège ! C'est de ta faute, tout ça. Montre que tu es un homme et débarrasse-moi de cette viande qui pue. Je n'arrive pas à la décoller de ma peau. Demande à ton bonhomme de me l'enlever, si toutefois il existe. »

Loin d'accéder au désir de Bouchra, Zaher fourra dans sa bouche un gros morceau de viande, ce qui l'empêcha de parler. En même temps, l'apparence physique de Bouchra continuait de changer : son corps grossissait à vue d'œil et son nez prit des dimensions inquiétantes. Que faire maintenant de cette femme qui avait offensé sa propre âme, laquelle s'était vengée en l'enlaidissant ?

Il ne dit pas un mot. Il pensa, en la regardant : « Je pourrais aussi bien faire le vœu de devenir roi, c'est mieux et plus stable que président : un président, ça doit se soumettre au vote du peuple. Alors que si je deviens roi, je serai le seul à décider et le seul à diriger. Mais seul, est-ce une bonne chose ? Le pouvoir, quelle méprise ! Et puis, comment pourrais-je rester assis à côté d'une reine si laide, affublée d'un si gros nez, d'une poitrine si flasque et d'un fessier si lourd, et exhalant cette mauvaise haleine ? Et puis, que faire de tout cet or et de tout ce pouvoir ? Je n'aime pas commander, ma femme me l'a assez reproché, je ne suis pas un chef et encore moins un dictateur. Moi, je veux le bonheur de tous et je suis prêt à sacrifier le mien pour que les autres puissent vivre dans la prospérité et dans la dignité. Alors, je ne ferai pas de nouveau vœu, si ce n'est celui de rester en bonne santé et de jouir d'une sérénité suffisamment contagieuse pour qu'elle parvienne à s'installer dans l'âme de ma femme et à la rendre agréable, bonne et généreuse. Ne vaut-il pas mieux être belle et modeste en étant la simple épouse d'un artisan que laide et grosse, et mariée à un roi ? Rien ne sert de courir derrière la gloire et l'argent ; la vanité est un poison ; je préfère fabriquer des babouches que de donner des ordres à une horde de miséreux ! »

Comme si elle l'avait entendu, Bouchra cracha le morceau de viande et hurla de toutes ses forces :

« Aucune ambition, rien, uniquement l'acceptation de la fatalité ! Tu n'es pas un homme, un vrai, un conquérant, un lion, un loup, un battant. Non, tu es un petit, un tout petit artisan, qui se contente de peu. C'est bien ma veine ! Moi je voudrais devenir une reine, une femme importante qui siège à côté du trône. Je serais belle, car la fonction est belle. Au lieu de cela, mon pauvre mari rêve de petites choses sans importance, incapable de profiter d'une occasion qui n'est donnée qu'une fois dans une vie. Car il est modeste, mon Zaher ! Modeste et stupide ! »

Tonnerre et éclair. Tout le bois tremblait. Les animaux couraient en tous sens. Des oiseaux quittèrent les branches où ils étaient posés pour s'en aller plus loin. Zaher regarda alors sa femme d'un œil compatissant. Il lui montra même de l'affection. Elle se mit aussitôt à pleurer, regrettant ce qu'elle venait de dire sous le coup de la colère et de la misère. Zaher lui dit qu'au-delà des apparences le pouvoir de gouverner des hommes était une tâche très difficile à laquelle ils n'étaient pas préparés. Il valait donc mieux y renoncer et revendiquer un peu de modestie et d'humilité. Après avoir serré Bouchra dans ses bras et essuyé ses larmes, ainsi que le reste du gras laissé par l'agneau sur son visage, son cou et sa poitrine, Zaher lui demanda :

« Que veux-tu, à présent ?

– Retrouver mon état d'avant, redevenir une femme simple et normale. »

On entendit alors la voix réclamer les autres souhaits. Le couple ne répondit pas. De nouveau la voix :

« Alors, vous ne voulez ni or ni diamants, ni argent ni bijoux, vous ne voulez pas non plus le trône ? Vous êtes bien sages, je reconnais là la graine d'un homme de qualité, un homme brave et bon, et non pas faible comme d'aucuns le croient. Mais je voudrais entendre de la bouche de votre épouse son désir le plus fort… »

Zaher pria sa femme de s'exprimer. L'agneau tomba, elle nettoya ses joues et ses épaules, et, alors qu'elle s'apprêtait à parler, elle retrouva sa physionomie d'avant :

« Je sais, la misère nous rend aveugles, envieux,

jaloux, elle nous emplit de mauvais sentiments. La misère creuse des trous dans notre esprit et nous empêche de voir la réalité. Nous sommes en bonne santé. Nous n'avons pas d'enfant, mais nous pouvons en adopter. Il faut accepter ce que le ciel nous a donné ; même si ce qu'il donne est peu, il nous revient de faire au mieux avec ce qui nous est échu. Tout ce que je veux, c'est retrouver notre maison, notre foyer, et vivre dans l'amour de mon mari. Cependant, si vous le permettez, laissez-nous les jarres de blé, d'huile d'olive et de miel. Nous les avons peut-être méritées. Ainsi, nous passerons un hiver un peu moins rude que celui des autres années. Tout cela est bon pour la santé… »

Puis, comme si elle avait trop cédé dans une négociation, elle réclama d'autres choses :

« Oui, la santé et aussi quelques bijoux, juste de quoi susciter un peu d'envie et de jalousie de la part de mes sœurs qui me méprisent parce que je suis pauvre… Faites aussi que Zaher puisse agrandir sa boutique et trouver de nouveaux clients… Une petite amélioration de notre vie quotidienne serait la bienvenue… »

La voix s'adressa au mari :

« Et toi, tu es d'accord avec ce que demande ta femme ?

– Oui, je voudrais avoir la force d'entreprendre de nouvelles choses, avoir l'énergie pour changer notre vie. »

La voix :

« Mais cela ne dépend que de toi ; je suis un faiseur de miracles, pas un petit bricoleur de vie. Lève-toi et mets-toi au travail. Quant à ton épouse, qu'elle cultive ses qualités et qu'elle oublie ses défauts. Au revoir, braves gens ! »

La voix se tut. Les animaux revinrent se lover dans leurs cachettes ; quant aux oiseaux, ils se livrèrent à un ballet somptueux dans le ciel d'un bleu limpide. Ils dessinèrent bientôt des formes harmonieuses, qui enchantèrent le couple éprouvé. C'était un signe. La vie allait être généreuse et le ciel clément avec eux.

Zaher et Bouchra, main dans la main, rentrèrent chez eux, apaisés et heureux d'être débarrassés de ces illusions qui font toujours plus de mal que de bien. La nuit même, ils firent plusieurs fois l'amour. Une nouvelle vie commençait pour eux. Quelques semaines plus tard, Bouchra tombait enceinte. Plus jamais la voix ne se manifesta dans la forêt. Ils se persuadèrent qu'ils avaient rêvé ou tout inventé pour enfin trouver le chemin de la renaissance.

Table

DU MÊME AUTEUR

Harrouda

roman
Denoël, 1973, 1977, 1982
et « Folio », n° 1981

La Réclusion solitaire

roman
Denoël, 1976
et « Folio », n° 5923

Les amandiers sont morts
de leurs blessures

poèmes
prix de l'Amitié franco-arabe
Maspero, 1976
et « Points », n° P543

La Mémoire future

Anthologie de la nouvelle poésie du Maroc
Maspero, 1976

La Plus Haute des solitudes

Misère affective et sexuelle
d'émigrés nord-africains

essai
Seuil, 1977
et « Points », n° P377

Moha le fou, Moha le sage

roman
prix des Bibliothécaires de France
et de Radio Monte-Carlo
Seuil, 1978
et « Points », n° P358

À l'insu du souvenir

poèmes
Maspero, 1980

La Prière de l'absent
roman
Seuil, 1981
et « Points », n° P376

L'Écrivain public
récit
Seuil, 1983
et « Points », n° P428

Hospitalité française
essai
Seuil, 1984, 1997

La Fiancée de l'eau
théâtre
suivi de Entretiens avec M. Saïd Hammadi,
ouvrier algérien
Actes Sud, 1984

L'Enfant de sable
roman
Seuil, 1985
et « Points », n° P7

La Nuit sacrée
roman
prix Goncourt
Seuil, 1987
et « Points », n° P113

Jour de silence à Tanger
récit
Seuil, 1990
et « Points », n° P160

Les Yeux baissés
roman
Seuil, 1991
et « Points », n° P359

Alberto Giacometti
illustré
Flohic, 1991

La Remontée des cendres
suivi de
Non identifiés
poèmes
édition bilingue, version arabe de Kadhim Jihad
Seuil, 1991
et « Points Poésie », n° P544

L'Ange aveugle
nouvelles
Seuil, 1992
et « Points », n° P64

L'Homme rompu
roman
Seuil, 1994
et « Points », n° P116

Éloge de l'amitié
Arléa, 1994
et réédition suivie de
Ombres de la trahison
« Points », n° P1079

Poésie complète
Seuil, 1995

Le premier amour est toujours le dernier
nouvelles
Seuil, 1995
et « Points », n° P278

Les Raisins de la galère
roman
Fayard, 1996
et « Folio », n° 5824

La Nuit de l'erreur
roman
Seuil, 1997
et « Points », n° P541

Le Racisme expliqué à ma fille
document
Seuil, 1998
et réédition suivie de
La Montée des haines
Seuil, 2004 et 2009

Médinas
(photographies de Jean-Marc Tingaud)
Assouline, 1998

L'Auberge des pauvres
roman
Seuil, 1999
et « Points », n° P746

Labyrinthe des sentiments
roman
(dessins de Ernest Pignon-Ernest)
Stock, 1999
et « Points », n° P822

Cette aveuglante absence de lumière
roman
prix international Impac
Seuil, 2001
et « Points », n° P967

L'Islam expliqué aux enfants
(et à leurs parents)
Seuil, 2002, 2012

Les Italiens
(photographies de Bruno Barbey)
La Martinière, 2002

Amours sorcières
nouvelles
Seuil, 2003
et « Points », n° P1173

Le Dernier Ami
roman
Seuil, 2004
et « Points », n° P1310

Maroc : les montagnes du silence
(photographies de Philippe Lafond)
Chêne, 2004

Delacroix au Maroc
(avec des textes de Pédro de Alarcon,
Edmondo de Amicis, Pierre Loti)
Ricci, 2005

Partir
roman
Gallimard, 2006
et « Folio », n° 4525

Giacometti, la rue d'un seul
suivi de
Visite fantôme de l'atelier
Gallimard, 2006
et « Folio », 2016

Le Discours du chameau
suivi de
Jénine et autres poèmes
Gallimard, 2007

Les Pierres du temps et autres poèmes
« Points Poésie », n° P1709, 2007

L'École perdue
(illustrations de Laurent Corvaisier)
Gallimard Jeunesse, « Folio Junior », n° 1442, 2007

Sur ma mère
roman
Gallimard, 2008
et « Folio », n° 4923

Au pays
roman
Gallimard, 2009
et « Folio », n° 5145

Marabouts, Maroc
(photographies d'Antonio Cores et Beatriz del Rio Garcia
dessins de Claudio Bravo)
Gallimard, 2009

Lettre à Delacroix
Gallimard, « Folio », n° 5086, 2010

Jean Genet : le menteur sublime
récit
Gallimard, 2010
et « Folio », n° 5547

Beckett et Genet, un thé à Tanger
théâtre
Gallimard, 2010

L'Étincelle
Révoltes dans les pays arabes
essai
Gallimard, 2011

Par le feu
récit
Gallimard, 2011

Au seuil du paradis
essai
Éditions des Busclats, 2012

Que la blessure se ferme
poèmes
Gallimard, 2012

Le Bonheur conjugal
roman
Gallimard, 2012
et « Folio », n° 5688

Lettre à Henri Matisse
et autres écrits sur l'art
« Folio », n° 5656, 2013

Dana
(en collaboration avec Matthias Frehner)
5 continents éditions, 2015

L'Ablation
récit
Gallimard, 2015

Le Mariage de plaisir
roman
Gallimard, 2016

Le terrorisme expliqué à nos enfants
Seuil, 2016

RÉALISATION : NORD COMPO À VILLENEUVE-D'ASCQ
IMPRESSION : CPI FRANCE
DÉPÔT LÉGAL : OCTOBRE 2015. N° 129087-2 (2025630)
IMPRIMÉ EN FRANCE

Éditions Points

DERNIERS TITRES PARUS

P4255. Bienvenue à Big Stone Gap, *Adriana Trigiani*
P4256. Le Brigand bien-aimé, *Eudora Welty*
P4257. La Coupe d'or, *Henry James*
P4258. Au commencement était le verbe... Ensuite vint l'orthographe !, *Bernard Fripiat*
P4259. Billets du Figaro. L'actualité au fil des mots *Étienne de Montéty*
P4260. L'Exception, *Audur Ava Olafsdóttir*
P4261. Menus Souvenirs, *José Saramago*
P4262. L'Ange rouge, *Nedim Gürsel*
P4263. Ce sera ma vie parfaite, *Camille de Villeneuve*
P4264. Le Clan du sorgho rouge, *Mo Yan*
P4265. Bernadette et Jacques, *Candice Nedelec*
P4266. Le rap est la musique préférée des Français *Laurent Bouneau, Fif Tobossi & Tonie Behar*
P4267. Il fait Dieu, *Didier Decoin*
P4268. De la mélancolie, *Romano Guardini*
P4269. L'Ancêtre en Solitude, *Simone et André Schwarz-Bart*
P4270. François parmi les loups, *Marco Politi*
P4271. Cataract City, *Craig Davidson*
P4272. Les coqs cubains chantent à minuit, *Tierno Monénembo*
P4273. L'Inspecteur Ali à Trinity College, *Driss Chraïbi*
P4274. Les Silences de la guerre, *Claire Fourier*
P4275. Louise, *Louise Bachellerie*
P4276. Sans domicile fixe, *Hubert Prolongeau*
P4277. Croquis de voyage, *Joseph Roth*
P4278. Aller voir ailleurs. Dans les pas d'un voyageur aveugle *Jean-Pierre Brouillaud*
P4279. Bienvenue ! 34 auteurs pour les réfugiés
P4280. La Passion suspendue. Entretiens avec Leopoldina Pallotta della Torre, *Marguerite Duras*

P4281. Requiem pour une révolution, *Robert Littell*
P4282. Les Buveurs de lune, *Pierre Chazal*
P4283. Dans son propre rôle, *Fanny Chiarello*
P4284. Insecte, *Claire Castillon*
P4285. La Revanche du petit juge, *Mimmo Gangemi*
P4286. Les Écailles d'or, *Parker Bilal*
P4287. Les Loups blessés, *Christophe Molmy*
P4288. Les Premiers de leur siècle, *Christophe Bigot*
P4289. Mary Barton, *Elizabeth Gaskell*
P4290. Damnés, *Chuck Palahniuk*
P4291. Éloge du désir, *Blanche de Richemont*
P4292. Toi et moi, j'y crois, *Philippe Pozzo di Borgo*
P4293. Les Sept Dernières paroles du Christ, *Timothy Radcliffe*
P4294. Plus de peurs que de mal, *André Charbonnier*
P4295. La Cabane des pendus, *Gordon Ferris*
P4296. La Nébuleuse de l'insomnie, *Antonio Lobo Antunes*
P4297. Limousines blanches et blondes platine, *Dan Fante*
P4298. Monsieur Sapiro, *Benny Barbash*
P4299. Je vous écris de Téhéran, *Delphine Minoui*
P4300. L'Institutrice d'Izieu, *Dominique Missika*
P4301. Les Bandits, *Jorge Volpi*
P4302. Le Sommeil de Grâce, *François Emmanuel*
P4303. Des hommes tourmentés. L'âge d'or des séries
Brett Martin
P4304. Une brève histoire du roman noir, *Jean-Bernard Pouy*
P4305. Un type bien. Correspondance 1921-1960
Dashiell Hammett
P4306. Daisy Sisters, *Henning Mankell*
P4307. Les Gens de mon pays, *Philippe Meyer*
P4308. Montagnes de la folie, *H. P. Lovecraft*
P4309. Dagon. Et autres récits d'horreur, *H. P. Lovecraft*
P4310. L'Ouzbek muet. Et autres histoires clandestines
Luis Sepúlveda
P4311. Incandescences, *Ron Rash*
P4312. Les petits vieux d'Helsinki mènent l'enquête
Minna Lindgren
P4313. Le Cannibale de Crumlin Road, *Sam Millar*
P4314. La Cour des secrets, *Tana French*
P4315. Academy Street, *Mary Costello*
P4316. On est foutus, on pense trop ! Comment se libérer
de Pensouillard le hamster, *Serge Marquis*
P4317. Ciel d'acier, *Michel Moutot*
P4318. Lucky Jim, *Kingsley Amis*
P4319. L'Homme aux yeux gris, *Petru Dumitriu*

P4320. Mémoires d'un bon à rien, *Gary Shteyngart*
P4321. Première personne du singulier, *Patrice Franceschi*
P4322. L'Esclavage raconté à ma fille, *Christiane Taubira*
P4323. Martin Luther King. Une biographie, *Sylvie Laurent*
P4324. Franz Fanon. Portrait, *Alice Cherki*
P4325. Maudits, *Joyce Carol Oates*
P4326. Molosses, *Craig Johnson*
P4327. Amours, *Léonor de Récondo*
P4328. Jactez-vous l'argot ? 45 grilles de mots croisés pour parler comme Queneau ou San-Antonio *Sylvain Vanderesse*
P4329. Les Sept Sœurs : Maia, *Lucinda Riley*
P4330. La Route de Beit Zera, *Hubert Mingarelli*
P4331. Suivez mon regard, *Anjelica Huston*
P4332. La Mort au festival de Cannes, *Brigitte Aubert*
P4333. Une vraie famille, *Valentin Musso*
P4334. Tango Parano, *Hervé Le Corre*
P4335. Le Voile de Téhéran, *Parinoush Saniee*
P4336. Les Rumeurs du Nil, *Sally Beauman*
P4337. Mélanie, Française et musulmane, *Mélanie Georgiades*
P4338. La Part d'enfance, *Mazarine Pingeot et Jean-Michel Djian*
P4339. L'Héritage d'Anna, *Jostein Gaarder*
P4340. Oups, on a oublié de sortir le train d'atterrissage ! *François Nénin*
P4341. Un maniaque dans la ville, *Jonathan Kellerman*
P4342. Du sang sur l'arc-en-ciel, *Mike Nicol*
P4343. Tout est normal, *Stéphane Guillon*
P4344. La vie c'est bien, le cynisme c'est mieux *L'Odieux Connard*
P4345. Anna Madrigal. Chroniques de San Francisco *Armistead Maupin*
P4346. Les Fantômes voyageurs, *Tom Drury*
P4347. Regarder l'océan, *Dominique Ané*
P4348. Allmen et la disparition de Maria, *Martin Suter*
P4349. Parapluie, *Will Self*
P4350. Saving Joseph, *Laurent Clerc*
P4351. Au bout de la route, l'enfer, *C.J. Box*
P4352. Le garçon qui ne parlait pas, *Donna Leon*
P4353. Les Couleurs de la ville, *Liam McIlvanney*
P4354. L'Amour (fou) pour un criminel, *Isabelle Horlans*
P4355. Le Cœur du pélican, *Cécile Coulon*
P4356. L'Idée ridicule de ne plus jamais te revoir *Rosa Montero*

P4357. Les Partisans, *Aharon Appelfeld*
P4358. Chants orphiques et autres poèmes, *Dino Campana*
P4359. Brèves de copies de bac 2
P4360. Amour, invincible amour, *Jacqueline Kelen*
P4361. Laisse Dieu être Dieu en toi. Petit traité de la liberté intérieure, *Jean-Marie Gueullette*
P4362. Pour la gloire, *James Salter*
P4363. Ombres et Soleil, *Dominique Sylvain*
P4364. Sous le choc, *Marc Raabe*
P4366. La Table d'émeraude, *Carla Montero*
P4367. La Rose d'Alexandrie, *Manuel Vázquez Montalbán*
P4368. L'Ombre d'une photographe, Gerda Taro *François Maspero*
P4369. Poussières d'exil, *Patrick Bard*
P4370. Krach Machine, *Frédéric Lelièvre et François Pilet*
P4371. La Troisième Équipe. Souvenirs de l'affaire Greenpeace *Edwy Plenel*
P4372. Photos volées, *Dominique Fabre*
P4373. Le Toutamoi, *Andrea Camilleri*
P4374. Hudson River, *Joyce Carol Oates*
P4375. White Trash, *John King*
P4376. Les Hortenses, *Felisberto Hernández*
P4377. Persévérer. On ne repousse pas ses limites, on les découvre, *Jean-Louis Étienne*
P4378. Aventures au Mato Grosso, *Raymond Maufrais*
P4379. Dernier voyage à Niceville, *Carsten Stroud*
P4380. Ce cœur changeant, *Agnès Desarthe*
P4381. Villa des femmes, *Charif Majdalani*
P4382. L'Île du Point Némo, *Jean-Marie Blas de Roblès*
P4383. Un cheval entre dans un bar, *David Grossman*
P4384. Bravo, *Régis Jauffret*
P4385. Le Pays des ténèbres, *Stewart O'Nan*
P4386. Il faut tenter de vivre, *Éric Faye*
P4387. L'Hiver à Lisbonne, *Antonio Muñoz Molina*
P4388. Les Dictées loufoques du professeur Rollin *François Rollin*
P4389. Bâchez la queue du wagon-taxi avec les pyjamas du fakir. Aphorismes et autres fantaisies littéraires *Thierry Maugenest*
P4390. Même les politiques ont un père, *Émilie Lanez*
P4391. Affaires sensibles. 40 ans d'histoires qui ont secoué la France, *Fabrice Drouelle*
P4392. Le Crime de Julian Wells, *Thomas H. Cook*
P4393. Battues, *Antonin Varenne*

P4394. Le Français, *Julien Suaudeau*
P4395. Rendez-vous à Crawfish Creek, *Nickolas Butler*
P4396. Mille regrets, *Vincent Borel*
P4397. Reviens à la vie ! Cinq repères essentiels pour avancer *Simone Pacot*
P4398. Aime à tout casser !, *Guy Gilbert*
P4399. Le Bonheur plus fort que l'oubli. Comment bien vivre avec Alzheimer, *Colette Roumanoff*
P4400. Mon Amérique. 50 portraits de légendes, *Philippe Labro*
P4401. American Dream. Dictionnaire rock, historique et politique de l'Amérique, *Guillemette Faure*
P4402. Price, *Steve Tesich*
P4403. En toute franchise, *Richard Ford*
P4404. Les Cantos pisans, *Ezra Pound*
P4405. Dingue de la vie et de toi et de tout, *Neal Cassady*
P4406. Que la bête s'éveille, *Jonathan Kellerman et Jesse Kellerman*
P4407. Le Moineau rouge, *Jason Matthews*
P4408. De si parfaites épouses, *Lori Roy*
P4409. Au départ d'Atocha, *Ben Lerner*
P4410. Riz, *Su Tong*
P4411. Pourquoi partir ? Journal. 2011-2014 *Jacques Chancel*
P4412. Fleur et Sang, *François Vallejo*
P4413. Le Cœur du problème, *Christian Oster*
P4414. Claire, *Louise Bachellerie*
P4415. Le Sang de la coupe, *Leighton Gage*
P4416. Corps coupable, *Laura Lippman*
P4417. À chaque jour suffit son crime, *Stéphane Bourgoin*
P4418. De l'esprit d'aventure, *Gérard Chaliand, Patrice Franceschi, Jean-Claude Guilbert*
P4419. Les mots que j'aime. En dix mots comme en cent
P4420. Ce qu'on entend dans les chansons *Serge Hureau et Olivier Hussenet*
P4421. LOL est aussi un palindrome. Journal d'une prof au bord de la crise (de rire), *Mathilde Levesque*
P4422. Les Eaux troubles du mojito, *Philippe Delerm*
P4423. La Petite Femelle, *Philippe Jaenada*
P4424. Le Donjon, *Jennifer Egan*
P4425. Des garçons bien élevés, *Tony Parsons*
P4426. Carthage, *Joyce Carol Oates*
P4427. La Femme du voisin, *Gay Talese*
P4428. Pictologies. 180 histoires en bref *Matteo Civaschi et Gianmarco Miles*

P4429. Pictologies. 150 films en bref
Matteo Civaschi et Gianmarco Miles
P4430. Opération Napoléon, *Arnaldur Indridason*
P4431. Encore des nouilles. Chroniques culinaires
Pierre Desproges
P4432. Chroniques en Thalys, *Alex Vizorek*
P4433. Le Petit Troquet des brèves de comptoir
Jean-Marie Gourio
P4434. Tics et tocs des grands génies, *Mason Currey*
P4435. L'Encyclopédie des sports oubliés
Edward Brooke-Hitching
P4436. Le Jourde & Naulleau, *Pierre Jourde et Éric Naulleau*
P4437. Le linguiste était presque parfait, *David Carkeet*
P4438. Mésaventures à Honolulu, *Jack Handey*
P4439. Le Festin des fauves, *Dominique Maisons*
P4440. Les Vies multiples d'Amory Clay, *William Boyd*
P4441. L'Amour des Loving, *Gilles Biassette*
P4442. Rien de ce qui est inhumain ne m'est étranger.
Manuel de combat spitrituel, *Martin Steffens*
P4443. Avec Dieu au Goulag. Témoignage d'un jésuite
interné vingt-trois ans en Sibérie, *Walter J. Ciszek*
avec Daniel Flaherty
P4444. Petites chroniques de la vie comme elle va
Étienne Gruillot
P4445. Et le souvenir que je garde au cœur
Jean-Pierre Darroussin
P4446. Laissé pour mort à l'Everest, *Beck Weathers,*
avec Stephen G. Michaud
P4447. Les Fleuves immobiles, *Stéphane Breton*
P4448. La Fille aux sept noms, *Hyeonseo Lee*
P4449. Marie Curie prend un amant, *Irène Frain*
P4450. Novembres, *Martine Delerm*
P4451. 10 jours dans un asile, *Nellie Bly*
P4452. Dialogues, *Geneviève de Gaulle Anthonioz*
et Germaine Tillion
P4453. À l'estomac, *Chuck Palahniuk*
P4454. Les Innocents, *Robert Pobi*
P4455. La Saison des Bijoux, *Éric Holder*
P4456. Les Sables de Mésopotamie, *Fawaz Hussain*
P4457. La Dernière Manche, *Patrice Franceschi*
P4458. Terres amères, *Joyce Carol Oates*
P4459. On marche sur la dette. Vous allez enfin
tout comprendre !, *Christophe Alévêque et Vincent Glenn*
P4460. Poésie, *Raymond Carver*
P4461. Épilogue meurtrier, *Petros Markaris*